Paroisse

10215, RUE GEORGES-BARIL
MONTRÉAL, P.Q.   H2C 2M9

la bible en papier

À Edmundo Chiodini,
l'ami des enfants
et notre ami.
Henriette et Claude

Recherche : Jean-Guy Dubuc

Coordination pédagogique : Pierre Dufour

Photographies : Jean-Louis Frund

Avec la permission de l'Ordinaire de Montréal No 10 — 15 juin 1979

ISBN : 2-7621-0796-2

Dépôt légal — 3e trimestre 1979, Bibliothèque nationale du Québec

Achevé d'imprimer le 22 août 1979, à Montréal, aux Presses Élite Inc. pour le compte des Éditions Fides

La sélection de couleurs a été réalisée par Lithochrome (74) Inc.

Photo d'Henriette Major : Kèro.

Photo de Claude Lafortune : Société Radio-Canada par Jean-Pierre Karsenty.

la bible en papier

henriette major
claude lafortune

FIDES   montréal

La création du monde par Dieu

« Au commencement, Dieu créa le ciel et la terre. Or la la terre était vague et vide, les ténèbres couvraient l'abîme, l'esprit de Dieu planait sur les eaux. »

C'est par ces mots poétiques que commence le récit de la création du monde selon la Bible, ce livre très ancien qui raconte, autant pour les Chrétiens que pour les Juifs, le plan de Dieu sur le monde.

Avant que la vie n'apparaisse sur la terre, l'Esprit de Dieu était là. C'est de l'Esprit de Dieu que sortiront toutes choses. C'est de lui que sortiront la lumière et la vie. Pour créer la lumière et la vie, Dieu se servit de la parole. Pour faire apparaître la lumière, Dieu nomma la lumière. Dieu dit :

— Que la lumière soit !

Les ténèbres s'ouvrirent, elles furent repoussées. Et la lumière inonda la terre. Dieu vit que la lumière était bonne. Il décida d'appeler la lumière « jour » et les ténèbres « nuit ». C'était le premier jour de la création. Il y eut un soir, il y eut un matin.

Dieu, voyant que la terre et le ciel étaient confondus en un tourbillon de vapeurs, décida de séparer les eaux du ciel des eaux de la terre. Puis, voyant que la terre était une masse de boue informe, il sépara la terre d'avec les eaux, faisant apparaître les océans et les continents. Dieu appela les continents « terre » et la masse des eaux « mer ». Et Dieu vit que cela était bon. C'était le deuxième jour de la création. Il y eut un soir, il y eut un matin.

— Que la terre verdisse de verdure, qu'il y pousse des herbes et des arbres avec des fruits portant leur semence, dit Dieu.

Alors de grandes étendues d'herbes couvrirent la terre et l'habillèrent de vert. Et Dieu vit que la terre était pleine et belle, et que cela était bon. C'était le troisième jour de la création. Il y eut un soir, il y eut un matin.

Maintenant que la terre était bien ornée, Dieu voulut aussi décorer le ciel. Il y installa le soleil, la lune et les étoiles pour qu'ils éclairent la terre de jour comme de nuit et qu'ils servent de signes pour les fêtes, les mois et les années. Admirant la lune, le soleil et le ciel couronné d'étoiles, Dieu vit que cela était bon. C'était le quatrième jour de la création. Il y eut un soir, il y eut un matin.

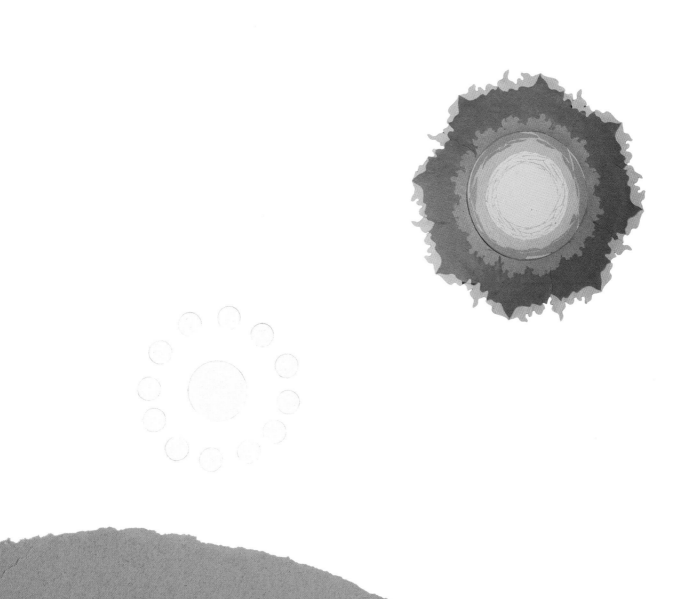

La terre était maintenant prête à recevoir les êtres animés. Dieu commença par peupler les mers. Dieu dit :

— Que les eaux grouillent de poissons et des autres créatures de l'eau et que les oiseaux volent au-dessus des terres et des mers, chacun selon son espèce.

Et Dieu dit :

— Soyez féconds, multipliez-vous ; vous les poissons, remplissez les eaux, et vous, les oiseaux, répandez-vous partout sur toute la terre.

Et devant le grouillement des bêtes qui nagent et le frémissement des bêtes qui volent, Dieu vit que tout cela était bon. Et c'était le cinquième jour de la création. Il y eut un soir, il y eut un matin.

Dieu plaça aussi sur la terre plusieurs espèces d'animaux, de bestiaux, de bestioles et d'animaux sauvages.

Devant tous ces êtres vivants, Dieu vit que cela était bon. Mais il manquait encore quelque chose à ce monde que Dieu venait de créer : il manquait une créature capable de régner sur les autres créatures.

Alors Dieu dit :

— Faisons l'homme à notre image et à notre ressemblance. Qu'il domine sur les poissons de la mer, les oiseaux du ciel et sur toutes les bêtes, bestiaux et bestioles de la terre.

Et Dieu créa l'homme à son image. À l'image de Dieu il les créa. Mâle et femelle il les créa. L'homme et la femme étaient là, égaux et libres au milieu de tous les êtres, mais plus grands parce qu'ils avaient dans les yeux l'étincelle de l'intelligence. Dieu les bénit et leur dit :

— Soyez féconds, remplissez la terre et soumettez-la ; régnez sur les poissons de la mer, les oiseaux du ciel et sur tous les animaux qui marchent et qui rampent.

Et Dieu contempla ce qu'il avait fait et il vit que cela était très bon. Ainsi furent achevés le ciel et la terre. C'était le sixième jour de la création.

Le septième jour, Dieu se reposa et il bénit ce septième jour. Chez les juifs et les chrétiens, la semaine compte sept jours avec un temps d'arrêt pour le repos et pour la fête.

Les débuts de l'humanité avec Adam et Ève

Un autre poème religieux, qu'on trouve au début de la Bible, évoque avec plus de détails l'apparition de l'homme sur la terre ainsi que l'origine du mal.

Lorsque le Seigneur Dieu eut terminé sa création, lorsqu'il eut placé les astres dans le ciel, lorsqu'il eut irrigué la terre afin d'y faire croître les arbres et les plantes, il n'y avait personne pour cultiver le sol.

« Le Seigneur Dieu modela l'homme avec la glaise du sol, dit la Bible. Il insuffla dans ses narines l'haleine de vie. »

Car l'homme n'est pas que matière ; il est aussi esprit. Dieu appela ce premier homme « Adam ». Il le plaça dans un grand jardin, rempli de plantes et d'arbres dont les fruits étaient bons à manger. Un fleuve passait dans ce jardin, y apportant fraîcheur et fertilité.

L'homme parcourut le jardin, donnant un nom à tout ce qu'il trouvait mais aucune voix ne répondait à la sienne, aucun regard ne comprenait le sien. Parmi toutes les formes de vie existantes, aucune ne lui ressemblait, aucune n'était de son espèce. Alors dans son cœur et dans son âme, Adam souhaita ardemment rencontrer un être semblable à lui.

Dieu comprit la solitude d'Adam, il le fit sombrer dans un profond sommeil. Pendant qu'Adam dormait, Dieu prit une de ses côtes et la transforma en une femme. Puis Dieu réveilla Adam et lui présenta cette femme, la première femme, qu'il appela « Ève ». Adam et Ève se regardaient, tout éblouis. Adam s'écria :

— Voici cette fois l'os de mes os et la chair de ma chair !

Le Seigneur Dieu a fait l'homme et la femme pour qu'ils vivent ensemble côte à côte et deviennent une seule chair.

Dans le beau jardin où le Seigneur Dieu avait placé Adam et Ève, croissaient toutes sortes d'arbres fruitiers. Dieu les avait donnés à Adam et Ève pour qu'ils en cueillent les fruits et s'en nourrissent.

Au milieu du jardin, Dieu avait planté un arbre magnifique ; il l'avait appelé : « l'arbre de la connaissance du bien et du mal ». Dieu avait dit à Adam et Ève :

— Vous pouvez manger de tout arbre du jardin, mais vous ne mangerez pas de l'arbre de la connaissance du bien et du mal.

Adam et Ève vivaient sans problèmes dans leur beau jardin. Ils vivaient nus, insouciants et heureux. Un jour qu'Ève se promenait près de l'arbre de la connaissance du bien et du mal, un serpent, le plus astucieux des animaux, s'approcha d'elle et la persuada de manger du fruit de cet arbre en disant :

— Dieu vous a dit que vous mourriez si vous touchiez aux fruits de cet arbre, mais ce n'est pas vrai. En vérité, si vous mangez de ce fruit, vous deviendrez comme des dieux ; vous posséderez la connaissance du bien et du mal.

Ève trouvait que l'arbre était séduisant à regarder et que ses fruits semblaient bons à manger. Pour mieux s'en assurer, elle cueillit un fruit et le goûta et en donna aussi à Adam.

À la fin du jour, le Seigneur Dieu appela Adam et Ève de sa voix puissante et leur dit :

— Qu'avez-vous fait ?

— C'est le serpent qui nous a trompés..., plaidèrent Adam et Ève.

— Toi, le serpent, tu seras maudit entre tous les animaux et tu deviendras l'image du mal, décida Dieu. Ève, tu souffriras pour mettre tes enfants au monde. Et toi, Adam, parce que tu m'as désobéi, tu devras peiner pour tirer ta nourriture du sol. Tu devras gagner ton pain à la sueur de ton front, jusqu'à ce que tu retournes à la terre dont tu as été tiré.

Dieu chassa Adam et Ève du beau jardin où il les avait placés. Désormais, l'homme et la femme auront à affronter une existence plus difficile.

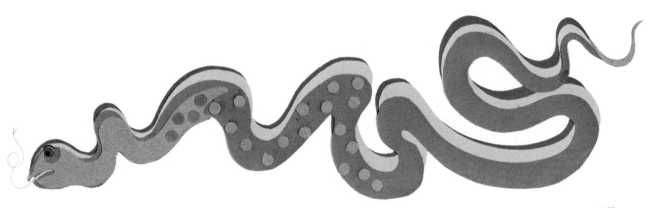

Caïn et Abel

Dans les temps très anciens, alors qu'ils étaient peu nombreux sur la terre, les hommes vivaient beaucoup plus simplement qu'aujourd'hui. Ils se nourrissaient des plantes et des fruits sauvages qu'ils trouvaient dans la nature. Un jour, ils découvrirent qu'en semant du grain, ils pouvaient en récolter beaucoup plus qu'ils n'en avaient semé. À la suite de cette découverte, certains hommes se firent agriculteurs.

D'autres hommes réussirent à attraper des moutons qui erraient librement dans la nature. Ils les réunirent en troupeaux de façon à pouvoir utiliser leur viande et leurs peaux lorsqu'ils en avaient besoin. Ceux-là se firent bergers. L'agriculture et l'élevage furent donc parmi les premières découvertes des temps anciens.

La Bible raconte que les deux premiers enfants d'Adam et d'Ève se nommaient Caïn et Abel. Caïn cultivait la terre. Il travaillait dur pour faire pousser fruits et légumes. Abel était berger. Il élevait des moutons qu'il faisait paître dans la campagne.

Les hommes des temps anciens croyaient que la bonne marche de leurs affaires dépendait de forces supérieures. Certains hommes plus évolués croyaient en un Dieu créateur et maître du monde. Pour que ce Dieu tout-puissant s'occupe d'eux, les hommes lui offraient des sacrifices. Un sacrifice, c'était un cadeau qu'on donnait à Dieu ; on choisissait ce qu'il y avait de mieux parmi ses biens pour l'offrir au Seigneur. Mais comment faire pour donner un objet concret à un Dieu invisible et lointain ? Les hommes des temps anciens avaient trouvé une solution : ils faisaient brûler leur cadeau, ils le transformaient en fumée. La fumée en s'élevant vers le ciel, et donc vers Dieu, signifiait dans leur esprit que leur cadeau était accepté. Donc au moment de la récolte, Caïn l'agriculteur décida d'offrir à Dieu des cadeaux tirés de sa moisson.

— La moisson fut bonne, ô Dieu ! la terre, une fois labourée et ensemencée, m'a donné du bon grain et de beaux fruits. J'ai choisi le meilleur de ma moisson pour te l'offrir. Vois mon offrande, ô Dieu ! dit Caïn.

Mais au lieu de s'élever vers le ciel, la fumée de l'offrande rampa vers le sol. Caïn fut très fâché, il crut que Dieu refusait son cadeau. Il s'éloigna de l'autel des sacrifices, troublé par le refus de Dieu. Il croisa son frère Abel qui portait un agneau dans ses bras.

Abel voulait lui aussi offrir un présent à Dieu. Il avait tué le plus beau de ses agneaux et l'apportait sur l'autel des sacrifices pour le faire brûler.

— Ô Dieu ! tu as veillé sur moi. Mon troupeau s'est multiplié. Je possède des brebis bien grasses et des agneaux bien tendres. Voici l'agneau le plus beau et le meilleur. Je viens le déposer sur ton autel. Reçois mon offrande ! dit Abel.

La fumée du sacrifice d'Abel s'éleva toute droite vers le ciel. Voyant que le sacrifice d'Abel était accepté par Dieu alors que son offrande semblait avoir été dédaignée, Caïn devint jaloux de son frère. Il dit :

— La fumée du sacrifice de mon frère s'élève toute droite vers le ciel. Abel se croit bien meilleur que moi ! J'en ai assez de toujours trouver mon frère sur mon chemin !

Caïn se jeta sur Abel et le tua. Puis regardant ses mains, il murmura :

— Qu'ai-je fait ?

Caïn, dans sa colère, avait tué son frère Abel. C'était le premier meurtre sur terre. Caïn essaya de cacher sa faute, mais Dieu, qui voit tout, parla au cœur de Caïn.

— Caïn, où est ton frère Abel ?

— Je ne sais pas. Suis-je le gardien de mon frère ?

— Caïn, qu'as-tu fait ? Le sang de ton frère crie vers moi, ce sang que tu viens de répandre sur le sol. Désormais, la terre que tu cultiveras ne portera plus de fruits. Tu deviendras un vagabond et tu ne pourras t'installer nulle part. Tu seras toujours seul !

C'est par cette histoire de Caïn et d'Abel que les conteurs des temps anciens, dans leur langage poétique, montrent où mène la haine.

Noé et le déluge

Un autre récit poétique fait voir où peuvent mener la méchanceté et la violence. Le temps passait et les hommes étaient de plus en plus nombreux sur la terre. Malheureusement, la plupart des hommes devenaient méchants et beaucoup de leurs actions allaient contre la volonté de Dieu. Tellement que le Seigneur Dieu en vint à regretter d'avoir placé les hommes sur la terre. Dieu dit :

— J'effacerai de la surface du sol l'homme que j'ai créé, et avec l'homme les bêtes et les oiseaux.

Mais un homme trouva grâce devant Dieu : il s'appelait Noé. Cet homme juste et bon vivait, ainsi que sa famille, selon la volonté de Dieu. Dieu dit à Noé :

— Le monde est rempli de violence à cause des hommes et je vais les faire disparaître de la surface de la terre. Mais toi, je ne veux pas que tu périsses avec eux. Bâtis une arche, comme un bateau de bois, car je vais noyer la terre par un grand déluge. Mais toi, ta femme, tes fils et les femmes de tes fils vous serez épargnés, car je veux établir une alliance avec vous. Après le déluge, tout renaîtra à une vie nouvelle.

Noé fabriqua l'arche comme Dieu le lui avait recommandé. Quand l'arche fut terminée, Noé y fit entrer un couple de chacun des animaux de son entourage. Puis Noé monta lui-même à bord de l'arche avec toute sa famille.

Lorsqu'ils furent à l'abri, une pluie torrentielle se mit à tomber comme si les écluses du ciel s'étaient ouvertes. La pluie tomba pendant quarante jours et quarante nuits. Les eaux montèrent de plus en plus haut recouvrant même les plus hautes montagnes. Tous les êtres vivants furent noyés, mais l'arche de Noé flottait sur l'eau avec ses occupants.

Puis Dieu fit passer un grand vent sur la terre et les eaux se calmèrent et commencèrent à baisser. Au bout d'un certain temps, les montagnes apparurent et l'arche de Noé alla se poser sur une cime.

Alors Noé ouvrit une fenêtre de l'arche et lâcha une colombe. Elle disparut vers l'horizon. Mais elle revint à l'arche car elle n'avait trouvé aucun endroit où se poser. Sept jours plus tard, Noé libéra de nouveau la colombe : cette fois, lorsqu'elle revint vers l'arche, elle tenait dans son bec un rameau d'olivier. Alors Noé comprit que les eaux avaient diminué puisque la verdure renaissait sur la terre. Dieu parla à Noé :

— Tu peux sortir de l'arche, toi et tous ceux que tu as sauvés. Que la vie recommence ! Que toutes les créatures vivantes se répandent et se multiplient !

Avec l'aide de sa famille, Noé construisit un autel à Dieu et il offrit un sacrifice sur cet autel. Ce sacrifice plut à Dieu qui lui dit :

— Je vais établir une alliance, une entente avec vous, avec tous vos descendants et avec tous les êtres vivants et plus jamais il n'y aura de déluge pour ravager la terre. Voici le signe de cette alliance...

Alors, un arc-en-ciel apparut. C'était comme un nouveau commencement du monde.

Abraham, père des croyants

Après le déluge, les hommes se multiplièrent et se répandirent un peu partout sur la terre. Plusieurs groupes d'hommes s'installèrent entre la mer Méditerranée et le golfe Persique, dans une région appelée aujourd'hui le Proche-Orient. Ils bâtirent des maisons et fondèrent des villes le long de deux fleuves, le Tigre et l'Euphrate. Dans cette région, quelque 1900 ans avant la naissance de Jésus-Christ, un nommé Abram vivait près de la ville d'Ur en Chaldée. Ici commence l'histoire de Dieu avec son peuple, l'histoire du premier ancêtre des croyants. Abram et sa famille étaient propriétaires de grands troupeaux. Un jour qu'il était seul parmi ses animaux, Abram entendit la voix de Dieu.

— Abram, quitte ton pays et ta famille pour le pays que je t'indiquerai. De toi sortira un grand peuple : ton nom sera connu de tous. Je bénirai ceux qui te béniront, je maudirai ceux qui te maudiront. En toi seront bénies toutes les nations.

Abram obéit aussitôt. Il se prépara à partir. Il emmena sa femme Sara avec lui, ainsi que Loth son neveu. Il rassembla ses serviteurs et ses troupeaux, et les conduisit vers l'ouest, vers un nouveau pays.

Abram ne reconnaissait qu'un seul Dieu et mettait en lui toute sa foi. Ainsi, il se séparait des hommes de son temps qui, eux, croyaient en une multitude de dieux et les représentaient sous forme de statues et d'idoles. Abram ouvre la lignée des hommes qui croient en un seul Dieu invisible qu'on ne peut représenter dans le bois ou la pierre.

Pendant plusieurs mois, Abram et sa famille se déplacèrent avec leurs troupeaux, longeant le désert. Ils vivaient de la vie des nomades, suivant le rythme des saisons et recherchant les meilleurs pâturages pour nourrir leurs bêtes. Après avoir marché longtemps vers l'ouest, Abram et sa famille arrivèrent au pays de Canaan. C'était un pays agréable et fertile. Un jour, la petite caravane s'arrêta près d'un puits en un endroit appelé Sichem. Là, Dieu parla encore une fois à Abram.

— Regarde autour de toi, Abram, je te donnerai ce pays, à toi et à ta descendance.

— Mais Seigneur, tu sais bien que Sara et moi n'avons pas d'enfants, dit Abram. Comment pourrais-je avoir un jour une descendance ? Qui peuplera ce pays que tu me donnes ?

— Tes enfants seront un jour aussi nombreux que les étoiles. Parce que tu as cru en moi, Abram, je veux conclure avec toi une entente, une alliance. Toi et les tiens, vous devrez obéir à ma loi ; vous serez mon peuple choisi. Pour bien marquer cette alliance, tu ne t'appelleras plus Abram, mais bien Abraham, c'est-à-dire « Père des croyants ».

— Je ne vois pas comment ta promesse peut s'accomplir, dit Abraham, je suis déjà vieux et ma femme Sara a plutôt l'âge d'être grand-mère, et nous n'avons toujours pas d'enfants. Comment donc pourrais-je donner naissance à une grande nation ?

— Ta femme Sara va donner naissance à un fils, assura Dieu. Tu lui donneras le nom d'Isaac. L'alliance que j'ai conclue avec toi, je la continuerai avec ton fils.

Il se passera beaucoup d'événements avant que s'accomplisse la promesse de Dieu et que naisse le fils qui assurera la descendance d'Abraham.

Le sacrifice d'Isaac

Abraham, sa femme Sara et leurs serviteurs vivaient toujours au pays de Canaan. Sara n'espérait plus guère qu'elle pourrait être elle-même mère de l'enfant promis. Aussi, comme c'était la coutume, donna-t-elle Agar, sa servante, à son mari. Abraham et la servante Agar eurent un fils qu'ils appelèrent Ismaël. Enfin, Sara eut le bonheur d'être enceinte à son tour. La promesse de Dieu s'accomplissait. Voilà que, malgré sa vieillesse, Sara mit au monde un fils. Ce fils, Abraham et Sara le nommèrent Isaac, c'est-à-dire « le fils du sourire », car il y avait vraiment de quoi sourire en voyant ce petit enfant né de parents aussi vieux. Abraham et Sara étaient au comble du bonheur à la naissance de leur enfant.

En ces temps-là, les hommes offraient des sacrifices aux dieux. Ils offraient ce qu'ils avaient de plus précieux : leurs plus belles bêtes, les meilleurs produits de leur récolte, et parfois même des enfants, car les enfants étaient vraiment le bien le plus précieux.

Un jour, Abraham crut entendre la voix de Dieu dans son cœur :

— Abraham ! Abraham ! prends Isaac, le fils unique que je t'ai donné et va vers la montagne me l'offrir en sacrifice.

Abraham qui aimait tant son fils ne comprenait pas l'ordre qui lui était donné. Mais il obéit sans hésiter car il faisait totalement confiance à Dieu. S'étant levé de bon matin, Abraham sella son âne et le chargea de bois pour le feu du sacrifice. Il amena Isaac au pied de la montagne. Isaac demanda à Abraham :

— Père, je vois le feu et le bois, mais où est l'agneau que nous offrirons en sacrifice ?

— Ne crains rien, mon fils, Dieu y pourvoira, répondit Abraham.

Et ils montèrent ensemble en silence. Ils arrivèrent au sommet de la montagne. Abraham assembla quelques pierres pour dresser un autel. Puis il dit :

— Mon fils, place le bois sur ces pierres, c'est là que nous offrirons à Dieu un sacrifice.

Tandis qu'Isaac déposait le bois, Abraham disposa le bûcher et lia son fils. Déjà il levait son couteau pour immoler ce fils qui lui était plus précieux que tout au monde. Soudain une force arrêta son bras et la voix de Dieu résonna en lui.

— Abraham ! Ne lève pas la main sur ton enfant, ne lui fais aucun mal. Je sais maintenant que tu m'es soumis puisque tu n'aurais pas hésité à me sacrifier ton fils unique.

Abraham se retourna et vit un bélier dont les cornes s'étaient prises dans les branches d'un buisson. Il le prit et l'offrit en sacrifice à la place de son fils. Isaac et lui se recueillirent en silence. Et la voix de Dieu parla à nouveau :

— Puisque tu as cru en moi, puisque tu as eu confiance, je m'engage à te bénir ; tes descendants seront aussi nombreux que les étoiles du ciel et les sables de la mer. Grâce à toi, toutes les nations de la terre seront bénies.

Abraham était béni de Dieu parce qu'il avait eu confiance, parce qu'il avait foi en Dieu.

Isaac et Rébecca

Abraham, maintenant très vieux, souhaitait voir, avant de mourir, son fils unique prendre une épouse. À cette époque, c'étaient les parents qui choisissaient le conjoint de leurs enfants en âge de se marier. Abraham envoya chercher Eliézer, le plus ancien et le plus dévoué de ses serviteurs.

— Écoute-moi bien, Eliézer, dit Abraham, tu sais que mon fils Isaac est en âge de se marier. Mais je ne veux pas qu'il prenne pour femme une de ces Cananéennes qui sont nos voisines, car elles adorent d'autres dieux et suivent d'autres coutumes. Je voudrais choisir une épouse pour Isaac parmi les gens de ma famille, mais je suis trop vieux pour entreprendre un aussi long voyage. Alors c'est toi qui choisiras à ma place une femme pour mon fils Isaac. Je veux que tu ailles chez mon frère Nahor, en Chaldée.

Eliézer, ayant rassemblé une caravane de chameaux chargés de cadeaux pour ses hôtes, se mit en route vers l'ancien pays d'Abraham, près du fleuve Euphrate. Après un voyage long et épuisant, Eliézer arriva dans la ville où vivait Nahor. Selon l'habitude, il rassembla ses chameaux près du puits situé aux abords de la ville. Il y avait là un va-et-vient de femmes porteuses de cruches qui venaient chercher l'eau nécessaire aux besoins domestiques.

Eliézer était assis près du puits, se demandant comment retrouver la famille d'Abraham, et surtout comment choisir, sans se tromper, la femme destinée à Isaac. Voyant le mouvement incessant des femmes autour du puits, il demanda à Dieu de lui donner un signe : la jeune fille à qui il demanderait à boire et qui, en plus de répondre à sa demande, lui offrirait de désaltérer ses chameaux, serait celle qu'il cherchait. Justement une jeune fille très belle puisait l'eau du puits, il s'approcha d'elle et demanda :

— Jeune fille, je t'en prie, laisse-moi boire un peu d'eau de ta cruche.

— Bois autant que tu voudras, étranger. Et quand tu auras fini, je verserai aussi de l'eau pour tes chameaux.

Tout en buvant, Eliézer pensait que les choses se déroulaient telles qu'il les avait souhaitées. Ayant bu, il se mit à parler avec la jeune fille ; il découvrit qu'elle s'appelait Rébecca, qu'elle était la fille de Béthuel et la petite-fille de Nahor.

— Je suis Eliézer, le serviteur d'Abraham ; tiens voici des présents de la part de ton grand-oncle. Cours vite chez toi et demande si tes parents peuvent me loger ce soir.

Rébecca le précéda chez ses parents.

— Je suis le serviteur d'Abraham, dit Eliézer en arrivant. Le Seigneur a comblé mon maître de bénédictions ; il est devenu très riche. Dans son vieil âge, il a eu un fils, Isaac. Je suis ici pour choisir une épouse à Isaac. Et cette épouse, Dieu me l'a désignée tantôt près du puits : c'est Rébecca.

— Rébecca est jeune et belle et elle n'est encore promise à aucun homme. Il semble bien que Dieu ait voulu la réserver pour son cousin Isaac. Il faut respecter la volonté de Dieu, répondit le frère aîné de la jeune fille.

Lorsque Eliézer entendit ces paroles, il se prosterna contre terre en signe de remerciements à Dieu. Ensuite, il offrit de riches cadeaux à Rébecca et à toute sa famille, de la part de son maître Abraham. Rébecca et ses servantes se joignirent à la petite caravane d'Eliézer qui reprit le chemin de Canaan. Un soir enfin, Isaac vit au loin le nuage de poussière soulevé par les chameaux. Il se précipita à leur rencontre et, les ayant rejoints, il vit une belle fille assise sur l'un des chameaux. Elle était plus belle que tout ce qu'il avait imaginé. La jeune fille se pencha et murmura à l'oreille d'Eliézer :

— Dis-moi qui est ce jeune homme ?

— C'est mon maître Isaac.

Les deux jeunes gens avaient eu le temps de se regarder et de se plaire. Ils se marièrent quelques jours plus tard. C'est ainsi que se poursuivaient les réalisations des promesses de Dieu à Abraham.

Esaü

Jacob

Esaü et Jacob

Isaac et Rébecca eurent des jumeaux : Esaü et Jacob. Le premier-né, Esaü, était grand et fort, roux et très velu. C'était un bon chasseur, il passait son temps à courir la campagne à la recherche de gibier. Il aimait la vie rude et les exercices violents. C'était le préféré d'Isaac. Le deuxième fils, né seulement quelques minutes après son frère, s'appelait Jacob. Il était beaucoup plus tranquille. Il préférait rester près des tentes et s'occuper des troupeaux ; sa mère Rébecca le préférait à Esaü. Bien qu'Esaü et Jacob fussent jumeaux, Esaü, né quelques minutes avant son frère, était considéré comme l'aîné. Or dans ces temps anciens, c'était l'aîné qui héritait de la plupart des biens et qui devenait le chef de famille à la mort de son père. On appelait ce privilège le « droit d'aînesse ».

Un jour, Esaü rentra affamé de la chasse. Il courait la campagne depuis l'aube et il n'avait rien mangé de la journée car la chasse avait été mauvaise. Il s'assit près du feu, sur lequel Jacob faisait mijoter un potage aux lentilles. Le fumet du potage chatouillait agréablement les narines d'Esaü et lui tiraillait l'estomac. Il demanda à son frère de lui donner un bol de ce délicieux plat de lentilles. Jacob lui répondit :

— Jure-moi d'abord de me donner en échange ton droit d'aînesse.

Esaü, qui ne pensait qu'à apaiser sa faim, accepta ce marché.

Jacob lui tendit un bol de potage et son frère l'avala. Esaü venait de vendre tous ses privilèges d'aîné et ce, pour un simple plat de lentilles. Il allait s'en repentir plus tard.

Isaac, dans sa vieillesse, était devenu aveugle. Pour que son fils aîné lui succède comme chef de famille, il voulait lui donner sa bénédiction paternelle. Un jour, il appela Esaü et lui dit :

— Le moment est venu pour toi de recevoir ma bénédiction solennelle, car je sens la mort approcher. Pour marquer cet événement, va à la chasse et rapporte du gibier que tu feras cuire comme je l'aime.

Esaü quitta donc son père et sortit pour la chasse. Mais Rébecca avait entendu leur conversation. Elle ne voulait pas que la bénédiction soit donnée à Esaü mais à Jacob, son favori. Elle surveilla le départ d'Esaü puis elle alla trouver Jacob et lui raconta ce qu'elle venait d'entendre. Elle ajouta :

— Voilà ce que tu feras : va au troupeau et apporte-moi deux beaux chevreaux. Je les ferai cuire comme Isaac les aime. Tu les apporteras à ton père et il te donnera sa bénédiction.

— Ce n'est pas possible. Mon père est aveugle et s'il me touche, il me reconnaîtra à ma peau lisse : Esaü est si velu.

— Va, dit sa mère, je prends la responsabilité de tout.

Et Jacob exécuta les instructions de sa mère. Il se présenta devant son père, la poitrine et les bras recouverts de la peau des chevreaux. Il portait un plat de délicieuse viande grillée. Au son de sa voix, Isaac eut un soupçon : il demanda à Jacob de s'approcher, il lui tâta les bras, pour être sûr, et huma l'odeur qui se dégageait de ses vêtements ; c'était bien l'odeur d'Esaü. Alors, sans plus attendre, le vieil Isaac donna sa bénédiction à celui qu'il prenait pour son aîné :

— Que Dieu te donne de la rosée du ciel et des terres fertiles, du froment et du vin en abondance. Que des peuples te servent et que des populations se prosternent devant toi. Maudits soient ceux qui te maudiront et bénis ceux qui te béniront.

Lorsque Esaü revint de la chasse, il apprêta un bon repas et se présenta à son tour devant son père pour recevoir sa bénédiction.

— Mais qui es-tu donc ? s'enquit Isaac.

— Je suis Esaü, ton aîné.

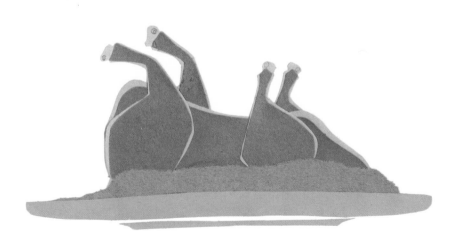

— Mais... si tu es Esaü, qui donc est venu tout à l'heure recevoir ma bénédiction et partager son repas avec moi ? J'ai déjà donné ma bénédiction, je ne peux la reprendre. Que celui que j'ai béni reste béni.

Esaü sortit de la tente de son père ; sa colère était grande. Son frère lui avait tout pris : son droit d'aînesse, son héritage, la bénédiction de son père. Esaü se proposa de tuer son frère lorsque leur père serait mort.

Pour éviter que n'éclate la violence dans la famille et pour se choisir une épouse qui ne soit pas une fille de Canaan, Jacob s'en alla en Chaldée chez son oncle Laban. Il travailla plusieurs années pour cet oncle. Il épousa ses deux cousines, car c'était la coutume d'avoir plusieurs épouses : d'abord Lia, puis Rachel qu'il chérissait particulièrement. Dieu lui donna plusieurs enfants, des serviteurs, de grands troupeaux et beaucoup de richesses.

La famille de Laban était de plus en plus jalouse de la prospérité de Jacob. Au bout de vingt ans, Jacob dut retourner au pays de Canaan où était resté son frère Esaü. Jacob craignait toujours la colère de son frère. En approchant des terres d'Esaü, Jacob pria Dieu de le protéger. Dieu le bénit de nouveau en changeant son nom en celui d'Israël, c'est-à-dire « fort devant Dieu ». Confiant dans la bénédiction de Dieu, Jacob se réconcilia avec Esaü. Le nom d'Israël est passé à l'histoire, car c'est le nom qu'on a donné par la suite au peuple juif.

Joseph vendu par ses frères

Jacob s'était installé au pays de Canaan, le pays de son grand-père Abraham. Comme ses ancêtres, il menait la vie des éleveurs de troupeaux. Il avait douze fils qui s'occupaient de faire paître ses bêtes.

L'avant-dernier des fils de Jacob s'appelait Joseph. C'était le préféré de son père, car il était le fils de Rachel, l'épouse favorite. Joseph était beau, doux et aimable et ne ressemblait en rien à ses frères, hommes rudes et violents. Quand il eut dix-sept ans, Jacob lui fit cadeau d'une belle tunique à longues manches. À cause des faveurs que son père lui accordait, Joseph était détesté de ses frères. De plus, il se mit à faire des rêves étranges, qu'il raconta à sa famille.

— Écoutez, mes frères, le songe que j'ai fait. Nous étions occupés à lier des gerbes de blé au milieu des champs, et voici que ma gerbe se leva et même se tint debout, et vos gerbes se mirent tout autour et se prosternèrent devant la mienne.

Les frères de Joseph étaient furieux, pensant que leur frère voulait les dominer. Et Joseph eut encore un autre songe.

— J'ai encore fait un rêve : je marchais dans la nuit et la lune, le soleil et onze étoiles se prosternèrent devant moi.

Dans les temps anciens, on attachait beaucoup d'importance aux rêves. Les onze frères virent dans les songes de Joseph un présage de la domination de leur cadet sur eux. Comme ils ne voulaient pas que le jeune homme devienne plus tard leur maître, ils firent le projet de se débarrasser de lui. Un jour que les frères gardaient les moutons, dans un pâturage éloigné, Jacob envoya Joseph prendre de leurs nouvelles. Quand ils virent arriver Joseph au loin, l'un des frères s'écria :

— Tiens, voici l'homme aux rêves !

Ils discutèrent des moyens d'éliminer ce gêneur. Ils voulaient le tuer, mais Ruben, l'aîné des frères s'y opposa. Ils se contentèrent donc de le dépouiller de sa tunique pour le jeter dans une fosse. Puis ils aperçurent une caravane de marchands qui s'en allaient en Égypte. Ils sortirent Joseph de sa fosse et le vendirent comme esclave à ces marchands. Les frères s'étaient débarrassés de Joseph. Mais comment annoncer la nouvelle à leur père ? Ils trempèrent la belle tunique dans le sang d'un bouc afin de faire croire que Joseph avait été dévoré par une bête féroce. Jacob porta longtemps le deuil de son fils préféré.

Joseph

Cependant, Joseph avait été amené sain et sauf en Égypte par les marchands qui l'avaient acheté. Dans ces temps anciens, l'esclavage était chose courante. Joseph fut donc acheté par un Égyptien très riche et très influent nommé Potiphar qui était au service du pharaon, le roi de ce pays. Joseph était intelligent et habile. Il se montra si efficace dans son travail, que Potiphar le nomma majordome, c'est-à-dire administrateur de tous ses biens. Joseph était jeune et beau. La femme de Potiphar lui trouvait beaucoup de charme et tenta de le séduire. Mais Joseph la repoussa, préférant demeurer fidèle à son maître et à Dieu. Pour se venger, la femme accusa alors Joseph de l'avoir attaquée. Quand Potiphar entendit cette histoire, il crut sa femme et entra dans une grande colère. Il fit jeter Joseph en prison.

Mais Dieu veillait sur Joseph. Parmi les détenus, se trouvaient deux hauts fonctionnaires du pharaon, le grand panetier, qui était chargé d'approvisionner le palais en pain et en pâtisseries, et le grand échanson, responsable des provisions de vin. Une certaine nuit, les deux hauts fonctionnaires firent chacun un songe étrange. Le grand échanson raconta son rêve.

— Dans mon songe, il y avait un cep de vigne devant moi. Et trois grappes y poussèrent. Quand les raisins furent mûrs, je les pressai dans une coupe, que je tendis au pharaon.

— Dans trois jours, tu seras libéré et tu serviras de nouveau à la cour du pharaon, lui prédit Joseph.

Le grand panetier parla à son tour :

— Voici que je transportais trois corbeilles de pain blanc sur ma tête. Et les oiseaux venaient manger le pain des corbeilles.

— Les trois corbeilles signifient trois jours. C'est le temps qu'il te reste à vivre car dans trois jours tu seras pendu, lui déclara Joseph.

Les prédictions de Joseph se réalisèrent : le grand panetier fut pendu et le grand échanson retrouva sa liberté. Joseph lui demanda de plaider sa cause auprès du pharaon. Mais le grand échanson n'y pensa plus.

Deux ans plus tard, le pharaon fit deux songes qui le tracassèrent beaucoup. Il fit appeler tous les devins et les sages du palais, mais personne ne pouvait expliquer ses rêves. Alors, le grand échanson se souvint de Joseph et de son talent pour expliquer les songes. On alla le chercher dans sa prison et on lui raconta les rêves du pharaon.

— Je me tenais au bord du fleuve, et voici que du fleuve montèrent sept vaches grasses qui se mirent à paître dans l'herbe. Et voici que derrière elles, montèrent du fleuve sept vaches maigres qui mangèrent les sept vaches grasses. Alors je m'éveillai. M'étant endormi de nouveau, j'eus un deuxième songe : voici que sept beaux épis avaient poussé sur une seule tige, et voici que sept épis desséchés poussèrent après eux et avalèrent les sept beaux épis. Alors je me réveillai et fus bien troublé par ces songes.

Joseph interpréta ces rêves ainsi :

— Ce que Dieu va faire, il le fait connaître au pharaon. Ces deux rêves disent la même chose: les sept vaches grasses et les sept beaux épis représentent les sept années d'abondance que l'Égypte va vivre. Mais les sept vaches maigres et les sept épis desséchés représentent les sept années de famine qui suivront. Après sept années d'abondance, la famine consumera ce pays pendant sept ans. Le pharaon devrait, dès maintenant, choisir un homme habile et sage qui veillerait à prélever un cinquième des récoltes durant les sept années d'abondance. Ces réserves alimenteraient le pays pendant les sept ans de famine.

Le pharaon se dit qu'il ne trouverait pas d'homme plus sage que ce Joseph à qui Dieu faisait connaître ses desseins. Il l'établit donc maître du palais. Il lui fit cadeau de beaux habits de lin et lui donna même son anneau et un collier d'or pour que chacun le reconnaisse comme l'envoyé du roi.

40

Joseph sauve ses frères

Pendant les sept années d'abondance annoncées par le songe du pharaon, Joseph, agissant comme premier ministre, s'employa à remplir les greniers royaux de réserves en prévision des jours de famine. De longues files d'esclaves transportaient les sacs de blé qui s'accumulaient sous bonne garde.

Puis les jours de famine auxquels le pharaon avait rêvé succédèrent aux jours d'abondance. En Égypte et dans tous les pays voisins, les moissons avaient été mauvaises ; on manquait de foin pour les bêtes et de blé pour le pain des hommes. Alors, Joseph fit ouvrir les greniers royaux. On venait de partout pour acheter le grain et le fourrage que les Égyptiens avaient mis en réserve, grâce à la prévoyance de Joseph.

Au pays de Canaan, où étaient demeurés Jacob et les frères de Joseph, la famine se fit aussi sentir. Par les caravanes qui faisaient le commerce entre les diverses régions, Jacob apprit qu'on vendait du grain en Égypte. Il y envoya donc dix de ses fils. Mais il garda auprès de lui Benjamin, le plus jeune, qui était comme Joseph l'enfant de Rachel, l'épouse préférée.

Lorsqu'ils arrivèrent en Égypte, les fils de Jacob durent se présenter devant le majordome du pharaon, qui était leur frère Joseph. Ils ne reconnurent pas le jeune homme qu'ils avaient vendu autrefois, mais Joseph, lui, les reconnut. Il reçut un coup au cœur en les apercevant. Les larmes lui en venaient aux yeux, mais il réussit à surmonter son émotion. Il résolut de leur donner une bonne leçon. Après les avoir questionnés, il les jeta en prison.

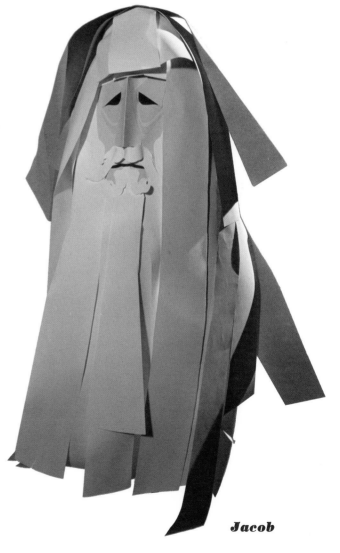

Jacob

Ruben

Quand ils se retrouvèrent en prison, les frères de Joseph se dirent que Dieu les punissait pour le mal qu'ils avaient fait autrefois. Au bout de trois jours, les soldats les ramenèrent devant Joseph qui leur dit :

— J'ai réfléchi ; vous pouvez retourner près de votre père. Je vais même vous vendre quelques sacs de blé. Mais je garderai l'un de vous en otage ; vous reviendrez le chercher et vous m'amènerez ce Benjamin dont vous m'avez parlé. Ainsi je saurai si oui ou non vous m'avez menti.

Les frères n'avaient pas le choix. Laissant Siméon en otage, ils reprirent le chemin du retour. Rendus chez eux, ils constatèrent qu'on avait remis dans leurs bagages l'argent de la transaction. Ils auraient voulu retourner chercher Siméon, mais ils craignaient désormais de se faire emprisonner pour vol. D'autre part, le vieux Jacob refusait de laisser partir Benjamin car il redoutait qu'il ne lui arrive malheur comme à Joseph.

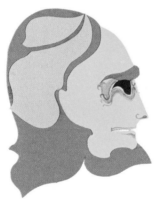

Siméon

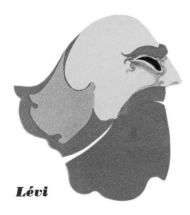

Lévi

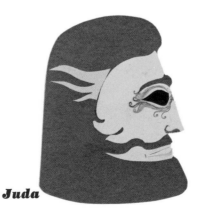

Juda

Mais la famine continuait de sévir. La famille de Jacob manqua de grain encore une fois. Pour survivre, il fallait donc se résigner à se rendre aux conditions du majordome du pharaon. Les frères repartirent, amenant avec eux Benjamin.

En arrivant en Égypte, ils se présentèrent devant Joseph. Pour la première fois depuis longtemps, les douze frères étaient réunis. Joseph était très ému ; cette fois il reçut très bien ses frères et leur offrit même un festin. Il demanda des nouvelles de leur père mais ne se fit pas connaître. Quand vint le moment de partir, les frères préparèrent leurs bagages aidés par des serviteurs de Joseph. Joseph ordonna à un serviteur de cacher son bol d'argent et le prix du blé dans le bagage de Benjamin.

Asher

Gad

Dan

Nephtali

Issachar

Zabulon

Benjamin

Ne se doutant de rien, les frères se hâtaient tout joyeux sur le chemin du retour, quand les serviteurs de Joseph les rattrapèrent et les ramenèrent devant le majordome. Celui-ci fit fouiller les bagages et bien sûr on retrouva le bol et l'argent dans le sac de Benjamin. Alors Joseph laissa éclater une fausse colère :

— Comment ! C'est donc toi le voleur ! Voilà comme je suis récompensé de mes bontés ! Partez tous ! Je garde le jeune Benjamin comme esclave.

— Toi qui es aussi puissant que le pharaon, écoute tes terviteurs, s'exclama Siméon. Prends l'un de nous comme esclave, garde-moi si tu veux ; mais laisse Benjamin retourner auprès de notre père : après la perte de notre frère Joseph, notre vieux père ne survivrait pas à la douleur de perdre aussi son plus jeune fils.

Joseph, ne pouvant contenir plus longtemps son émotion, se mit à pleurer et se fit reconnaître de ses frères. Il leur dit :

— Mes frères, ne soyez pas tristes à cause de ce que vous m'avez fait ; c'était sans doute le plan de Dieu que je vienne en Égypte. Allez donc chercher notre père et venez vous installer ici ; je vous donnerai des terres fertiles où vous pourrez vivre en paix.

Après les réjouissances des retrouvailles, les frères allèrent chercher le vieux Jacob ; et toute la famille s'installa en Égypte, sous la protection de Joseph et du pharaon. Les douze fils de Jacob donnèrent naissance aux douze tribus ou grandes familles qui formèrent la nation juive ; c'étaient : Ruben, Siméon, Lévi, Juda, Dan, Nephtali, Gad, Asher, Issachar, Zabulon, Joseph et Benjamin. Jacob bénit aussi les fils de Joseph qui s'appelaient Manassé et Éphraïm.

Joseph

Moïse sauvé des eaux

Vers l'an 1200 avant Jésus-Christ, les descendants de la famille de Jacob étaient devenus très nombreux en terre d'Égypte. L'ancien pharaon était mort ; il avait été remplacé par un nouveau roi qui n'aimait pas les fils d'Israël et leurs descendants. Ce pharaon craignait que les Israélites, de plus en plus nombreux, ne deviennent plus forts que les Égyptiens. Il décida de leur rendre la vie difficile ; il leur imposa des travaux forcés : travaux de construction ou durs travaux des champs. Les hommes et les femmes travaillaient sans répit, ils étaient maintenant traités comme des esclaves. Non content d'imposer des travaux contraignants aux fils d'Israël, le pharaon décida de réduire leur nombre ; pour y parvenir, il ordonna que tous les bébés juifs de sexe masculin soient jetés dans le fleuve dès leur naissance.

Une femme de la tribu de Lévi mit au monde un petit garçon. Elle ne pouvait pas se décider à le jeter au fleuve comme l'avait ordonné le pharaon. Elle réussit à le cacher durant trois mois. Mais le bébé grandissait et la mère ne pouvait espérer le cacher plus longtemps. Alors elle fabriqua une sorte de panier en feuille de papyrus et y déposa le bébé. Puis elle dit à sa fille aînée d'aller porter le panier dans les joncs près de l'endroit où la fille du pharaon se baignait chaque jour.

Bientôt, la princesse arriva avec ses suivantes. Elles trouvèrent le panier et son petit passager. La fille du pharaon en eut pitié et décida de l'adopter. Le bébé reçut le nom de Moïse ce qui veut dire « sauvé des eaux ».

Moïse fut élevé au palais du pharaon. Quand il fut grand, sa mère adoptive lui apprit qu'il était israélite. En se promenant, il put constater à quel point ses frères israélites étaient maltraités.

Un jour, Moïse vit un garde égyptien en train de frapper un esclave juif. En se portant à la défense de son compatriote, Moïse tua l'Égyptien. Il avait fait un choix, il se rangeait du côté de ses frères, les Israélites. À présent, il devait se sauver afin d'échapper à la colère du pharaon. Il quitta l'Égypte et se rendit au pays de Madian.

Moïse devint gardien de troupeaux comme l'avaient été ses ancêtres. Mais il pensait souvent à ses frères restés en Égypte. Il lui semblait entendre la rumeur incessante des plaintes et des prières montant de son peuple opprimé.

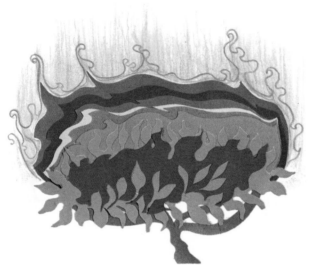

Un jour, Moïse avait mené son troupeau au pied du mont Horeb. Soudain, il aperçut au loin un buisson qui brûlait. Assez étrangement, les flammes ne diminuaient pas; le buisson brûlait sans se consumer. Moïse s'approcha pour observer le phénomène. Et voici que du milieu du buisson une voix s'éleva :

— Moïse ! Moïse ! n'approche pas trop. Enlève tes sandales car le lieu où tu marches est un lieu saint. Je suis le Dieu de ton père, le Dieu d'Abraham, d'Isaac et de Jacob. J'ai vu la misère de mon peuple en Égypte. J'ai entendu ses lamentations. Je veux le délivrer de la main des Égyptiens et le guider vers un pays où coulent le lait et le miel. C'est toi que j'ai choisi pour faire sortir mon peuple du pays d'Égypte.

— Qui suis-je donc, ô Seigneur, pour me présenter devant le pharaon et lui commander de libérer mon peuple ? J'irai vers les fils d'Israël et je leur dirai : le Dieu de vos pères m'envoie vers vous, mais que leur répondrai-je s'ils me demandent : Quel est son nom ?

— Je suis celui qui est. Tu diras aux fils d'Israël : Celui qui se nomme « Je suis » m'a envoyé vers vous. Le Dieu de vos pères, le Dieu d'Abraham, d'Isaac et de Jacob, m'a envoyé vers vous. Va trouver le pharaon. Tu feras de grands miracles et on t'écoutera.

Moïse obéit à la voix de Dieu. Il retourna en Égypte afin de délivrer ses frères ; Dieu allait aider son peuple encore une fois. Dorénavant, ce Dieu porte un nom : « Yahweh », celui qui est, le Dieu fidèle et toujours présent à son peuple.

Moïse

Les plaies d'Égypte et la traversée de la mer Rouge

Accompagné de son frère Aaron, le lévite, Moïse se rendit au palais du pharaon. Il se présenta devant le roi et lui ordonna au nom de Dieu de libérer le peuple d'Israël. Mais le roi d'Égypte ne voulait pas laisser partir les Israélites à qui il imposa des corvées plus dures encore. Mais Dieu voyait les malheurs de son peuple. Dieu dit à Moïse :

— Je porterai la main sur l'Égypte ; je châtierai ce pays. Les Égyptiens devront reconnaître que je suis le vrai Dieu. J'accomplirai des prodiges tels qu'on laissera sortir mon peuple de ce pays.

Alors Dieu ordonna à Moïse de frapper l'Égypte de grands malheurs. Les eaux du fleuve Nil qui traverse le pays d'Égypte se teintèrent de rouge ; elles s'étaient comme changées en sang. Le pharaon fut impressionné par ce phénomène qu'il interpréta comme une punition de Dieu. Mais il refusa quand même de laisser partir les Israélites.

Moïse et Aaron revinrent devant le Pharaon et l'avertirent qu'une deuxième épreuve guettait l'Égypte : des milliers de grenouilles monteraient du fleuve et infesteraient le pays. Le pharaon ne les écouta pas. Ainsi que Moïse l'avait prédit, les grenouilles envahirent la contrée. Elles pénétrèrent dans le palais du pharaon ; il en grimpa dans sa chambre et même dans son lit. Mais le pharaon s'obstinait : il ne voulait pas permettre aux Israélites de partir.

Moïse et Aaron annoncèrent une nouvelle épreuve : des nuées de sauterelles couvriraient les prés et les champs. C'était une grande calamité dans ces pays lorsque des invasions de sauterelles dévastaient les récoltes. Moïse affirma au pharaon que par cet envahissement de sauterelles, Dieu le punissait encore une fois de sa mauvaise conduite envers le peuple d'Israël. Mais le pharaon refusait toujours de le libérer.

Moïse et Aaron annoncèrent une autre épreuve : le ciel s'obscurcirait jusqu'à ce que tout devienne noir. Il arrive parfois dans ces régions qu'une tempête de sable obscurcisse le ciel au point que le jour ressemble à la nuit. Mais le pharaon, ayant mauvaise conscience, crut voir là le châtiment de Dieu. Cette fois le pharaon se mit dans une grande colère et il chassa Moïse et Aaron, leur interdisant de reparaître devant lui.

D'autres épreuves frappèrent encore les Égyptiens mais le cœur du pharaon était endurci et il résistait toujours aux exhortations de Moïse. Il refusait toujours de laisser sortir d'Égypte le peuple d'Israël. Une terrible épreuve se préparait cependant. Moïse en avertit son peuple : la nuit suivante, les premiers-nés de chaque famille égyptienne seraient frappés de mort.

Par la voix de Moïse et d'Aaron, Dieu ordonna alors au peuple d'Israël de se préparer à quitter l'Égypte. On procéda aux préparatifs de départ : chaque famille israélite tua un agneau et marqua de son sang la porte de sa maison. Dans les maisons portant ce signe, Dieu épargnerait les premiers-nés. Ensuite chaque famille mangea la viande rôtie de l'agneau, debout, les sandales aux pieds et le bâton à la main, c'est-à-dire prête à répondre au signal du grand départ. Comme le temps manquait pour faire lever la pâte, on fit cuire du pain sans levain appelé azyme.

Aaron

Cette nuit-là, tout le peuple d'Israël était debout. Chacun s'était conformé aux ordres de Dieu. Au milieu de la nuit, la mort frappa tous les premiers-nés de l'Égypte, depuis le premier-né du pharaon jusqu'au premier-né du captif dans sa prison. Ce fut en Égypte une immense lamentation : pas une maison où il n'y eut un mort. Alors le pharaon, vaincu, convoqua Moïse et Aaron et leur dit :

— Partez. Sortez du milieu de mon peuple. Prenez avec vous votre bétail. Allez rendre hommage à votre Dieu et demandez-lui qu'il me bénisse aussi.

51

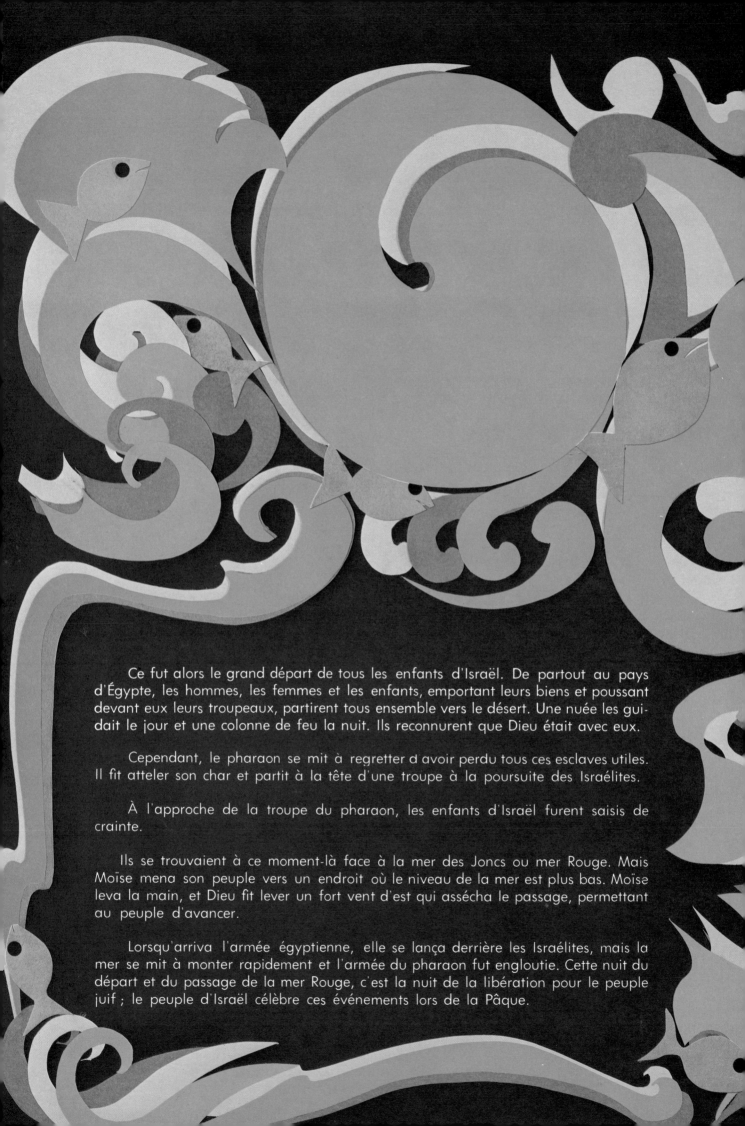

Ce fut alors le grand départ de tous les enfants d'Israël. De partout au pays d'Égypte, les hommes, les femmes et les enfants, emportant leurs biens et poussant devant eux leurs troupeaux, partirent tous ensemble vers le désert. Une nuée les guidait le jour et une colonne de feu la nuit. Ils reconnurent que Dieu était avec eux.

Cependant, le pharaon se mit à regretter d'avoir perdu tous ces esclaves utiles. Il fit atteler son char et partit à la tête d'une troupe à la poursuite des Israélites.

À l'approche de la troupe du pharaon, les enfants d'Israël furent saisis de crainte.

Ils se trouvaient à ce moment-là face à la mer des Joncs ou mer Rouge. Mais Moïse mena son peuple vers un endroit où le niveau de la mer est plus bas. Moïse leva la main, et Dieu fit lever un fort vent d'est qui asséaca le passage, permettant au peuple d'avancer.

Lorsqu'arriva l'armée égyptienne, elle se lança derrière les Israélites, mais la mer se mit à monter rapidement et l'armée du pharaon fut engloutie. Cette nuit du départ et du passage de la mer Rouge, c'est la nuit de la libération pour le peuple juif ; le peuple d'Israël célèbre ces événements lors de la Pâque.

Les dix commandements

Les enfants d'Israël étaient maintenant prêts à suivre n'importe où Moïse, cet homme extraordinaire qui avait vaincu le pharaon et qui leur parlait au nom de Dieu. Moïse conduisit le peuple d'Israël dans le désert. Partis précipitamment du pays d'Égypte, les Israélites étaient mal organisés, ils n'avaient apporté que très peu de provisions. La longue marche dans le désert se poursuivit pendant des jours et des jours. Il faisait chaud, les gens étaient fatigués, ils avaient faim. Alors ils se mirent à regretter les jours passés au pays d'Égypte. Ils se dirent entre eux :

— Pourquoi ne sommes-nous pas restés en Égypte ? Là, au moins, nous avions de la viande et du pain. Moïse nous a amenés dans ce désert pour y mourir de faim...

Dieu entendit les murmures de son peuple ; il ne les avait pas fait sortir d'Égypte pour les affamer dans le désert. Le soir même, le camp fut envahi par un vol de cailles : c'était sans doute la période de migration de ces oiseaux. Les Israélites en firent un festin. Mais Dieu voulait que les Israélites soient assurés de ne jamais manquer de nourriture. Il appela Moïse et lui dit :

— Je vais faire pleuvoir du pain du haut du ciel. Chaque jour, les gens en prendront juste ce qu'il faut pour la journée.

Le lendemain matin, une couche de rosée recouvrait les alentours du camp. Cette rosée était composée de petits grains très fins qui ressemblaient à du givre. Les enfants d'Israël ramassèrent de cette nourriture chacun selon ses besoins. Ils lui trouvèrent un goût de miel. Ils lui donnèrent le nom de manne. Bientôt, le peuple se plaignit du manque d'eau. Dieu indiqua à Moïse un certain rocher. Moïse frappa le rocher de son bâton et il en jaillit de l'eau. Dieu veillait sur les Israélites.

Trois mois après leur sortie d'Égypte, les Israélites arrivèrent au pied d'une montagne dans le désert de Sinaï. Les gens d'Israël établirent leur camp au pied le la montagne. Moïse monta seul sur le sommet pour s'entretenir avec Dieu. Dieu lui dit :

— Vous avez vu comment je vous ai fait sortir d'Égypte, comment je vous ai protégés et guidés vers moi. Désormais, si vous m'obéissez, si vous respectez mon alliance, vous deviendrez mon peuple, un peuple béni parmi les autres peuples, une nation sainte.

Ainsi Dieu proposa à Moïse d'établir une alliance avec son peuple.

Le moment était solennel : Dieu allait se manifester. Une nuée épaisse obscurcit le sommet de la montagne. C'est au milieu du tonnerre et des éclairs que Dieu dicta sa loi à Moïse. Moïse grava cette loi sur des tables de pierre. Telle était la loi :

C'est moi le Seigneur
ton Dieu,
tu n'auras pas
d'autre Dieu que moi.

Tu ne feras pas
d'image de moi.

Tu ne prononceras pas
en vain le nom du Seigneur.

Tu respecteras
le jour du Sabbat.

Tu honoreras
ton père et ta mère.

Tu ne tueras pas.

Tu ne commettras pas
d'adultère.

Tu ne voleras pas.

Tu ne porteras pas
de faux témoignages,
contre ton prochain.

Tu ne désireras pas
la femme ni le troupeau
ni aucun bien de ton voisin.

Moïse redescendit de la montagne. Il rassembla le peuple et lui lut la loi dictée par Dieu, qui était gravée sur les tables de pierre. Le peuple d'Israël accepta la loi de Dieu. Moïse retourna sur la montagne et y resta quarante jours et quarante nuits. Il reçut les prescriptions pour le culte de Dieu en Israël. Pendant ce temps, le peuple demanda à Aaron de fabriquer un Dieu qu'on peut voir et toucher, car sa foi en un Dieu invisible n'était pas encore très solide. Aaron fabriqua un veau d'or et le peuple organisa une grande fête en l'honneur de cette idole.

À ce moment, Moïse redescendit de la montagne ; il entra dans une grande colère en voyant ce qui se passait. Dans sa fureur, il brisa les tables de la loi. Puis il renversa l'idole et la jeta au feu. Devant la colère de Moïse, le peuple d'Israël comprit qu'il avait grandement offensé Dieu. Alors, Moïse, se faisant l'interprète de son peuple, s'en fut demander pardon à Dieu. Dieu dit alors à Moïse :

— Remonte sur la montagne avec deux tables de pierre semblables à celles que tu as brisées. Tu y graveras les paroles de l'alliance.

C'est ainsi que Moïse inscrivit de nouveau sur la pierre les lois dictées par Dieu. Le peuple d'Israël avait maintenant une loi. Cette loi s'est transmise jusqu'à nos jours. Les dix commandements de Dieu gouvernent encore la conduite des juifs et des chrétiens partout à travers le monde. Moïse mourut avant d'entrer en terre promise. Josué lui succéda pour conduire le peuple d'Israël jusqu'à son installation au pays de Canaan.

Samson et Dalila

Les Israélites arrivèrent enfin en terre promise. Une génération entière avait vécu dans le désert, et ce furent les enfants de ceux qui avaient quitté l'Égypte qui s'installèrent au pays de Canaan. Les Israélites devinrent sédentaires. Les douze tribus se partagèrent le territoire conquis, mais ils trouvèrent des peuples rivaux qui voulaient également occuper le pays. Le pire ennemi d'Israël était un peuple étranger, les Philistins. Ceux-ci profitaient de la plaine et de la mer alors que les Israélites devaient se contenter des régions montagneuses et peu fertiles.

Dans la petite ville de Soréa, située sur le territoire de la tribu de Dan, naquit un enfant à qui on donna le nom de Samson ; sa mère le consacra au Seigneur en faisant vœu de ne jamais lui couper les cheveux. En grandissant, Samson devint remarquablement grand et robuste. Sa longue chevelure en broussaille lui donnait un air farouche. Très tôt, sa réputation d'homme fort et brave se répandit dans le pays. Mais il avait le cœur tendre et il subissait le charme des femmes des Philistins. Parmi elles, Samson en avait remarqué une qui lui plaisait particulièrement.

Un jour, Samson se mit en route pour la ville de Timna afin d'aller demander cette fille en mariage. En chemin, il rencontra un lion qui l'attaqua en rugissant. Samson l'attrapa et l'étouffa de ses mains nues. Il n'avait peur de rien car il se sentait invincible avec ses cheveux longs. Ce signe de sa consécration à Dieu lui semblait la source de sa force.

Arrivé chez les Philistins, il apprit qu'on avait donné sa fiancée à un autre homme. Il ne pouvait admettre la moindre offense, il se savait le plus fort et se vengeait cruellement à la moindre provocation. Samson se laissa aveugler par la colère et conçut une riposte très cruelle. Il attrapa quelques renards, leur attacha à la queue une torche enflammée et les lâcha dans les champs et les vignes des Philistins. L'incendie se répandit. Pendant ce temps, Samson s'était caché dans une grotte.

Quand les compatriotes de Samson apprirent ses méfaits, ils eurent peur que les Philistins ne s'en prissent à eux. Un émissaire israélite vint trouver Samson dans sa cachette pour le convaincre de se livrer à ses ennemis, sinon les gens de sa race auraient à souffrir à sa place. Samson accepta de se livrer. On l'attacha et on le remit aux mains des Philistins.

Mais on avait compté sans sa force surhumaine. Dans un suprême effort, Samson tendit tous ses muscles et brisa les cordes qui le liaient. Puis, ramassant par terre une mâchoire d'âne, il s'en servit comme d'une massue pour assommer les Philistins qui l'entouraient.

Plus tard, Samson devint très amoureux d'une femme appelée Dalila. Mais cette femme était une espionne à la solde des Philistins. Elle essaya par tous les moyens de découvrir le secret de la force de Samson car les Philistins lui avaient promis une grosse somme d'argent pour son aide.

Encore une fois, le terrible Samson se laissa séduire par une femme ; il confia à Dalila que le secret de sa force résidait dans sa longue chevelure qui n'avait jamais été coupée et qui était le symbole de sa consécration à Dieu. Forte de ce secret, Dalila attendit que Samson soit profondément endormi et lui coupa les cheveux. Désemparé, il se laissa capturer par les Philistins. Pour s'assurer de sa soumission, on lui creva les yeux avant de le jeter en prison.

Un jour que les Philistins donnaient une grande fête dans un temple dédié à leur dieu, ils firent venir Samson pour montrer au peuple et aux nombreux dignitaires que ce dangereux ennemi était désormais réduit à l'impuissance. On installa Samson entre deux colonnes du temple, et tous se moquèrent de lui.

Mais dans sa prison, Samson avait eu le temps de réfléchir et de demander pardon à Dieu. Ses cheveux, symbole de sa consécration, avait repoussé. Il lui semblait que sa force lui était revenue. Il s'arc-bouta de ses deux bras aux colonnes du temple et poussa de toutes ses forces. Les colonnes cédèrent et le temple s'écroula, écrasant Samson et tous les Philistins qui l'entouraient.

Le prophète Samuel

En ce temps-là, vers le milieu du XIe siècle avant Jésus-Christ, l'arche d'alliance contenant les précieuses tables de la loi était conservée dans un temple en la ville de Silo, sous la garde du grand-prêtre Éli et de sa famille. C'est là que les fidèles se rendaient en pèlerinage pour offrir des sacrifices à Dieu. Auprès du grand-prêtre Éli, vivait un jeune garçon appelé Samuel. Cet enfant avait été consacré par sa mère au service de Dieu. Il demeurait dans le temple et assistait le grand-prêtre dans l'exercice du culte. Un jour, alors qu'Éli et Samuel venaient de se retirer pour la nuit, l'enfant entendit une voix l'appeler :

— Samuel ! Samuel !

L'enfant courut auprès d'Éli croyant que c'était le grand-prêtre qui l'appelait. Mais celui-ci fut bien surpris de le voir apparaître et lui ordonna de retourner se coucher. Samuel retourna à son lit, mais de nouveau la voix se fit entendre. Trois fois, Samuel accourut auprès d'Éli car il n'avait pas compris que c'était Dieu qui l'appelait. À la fin, Éli lui recommanda :

— Si on t'appelle encore, tu répondras : « Parle, Seigneur, ton serviteur écoute. »

Samuel fit ce qu'Éli lui avait conseillé. Le Seigneur lui dit alors :

— Je condamne Éli et sa famille. Les fils d'Éli se conduisent mal en ma présence et leur père n'a pas su les corriger.

Le lendemain matin, Éli voulut connaître le message de Dieu. Samuel hésitait à répéter des paroles qui condamnaient son bienfaiteur. Cependant, il transmit fidèlement le message. Ainsi Éli sut que Samuel était un prophète, c'est-à-dire un porte-parole de Dieu. Désormais, il le traita avec déférence car il savait que Dieu avait choisi Samuel pour interprète. Devenu adulte, Samuel fut considéré comme juge en Israël, c'est-à-dire qu'on avait recours à ses conseils dans les situations difficiles parce qu'on savait que c'était un homme de Dieu.

En ce temps-là, les Philistins entretenaient une guerre presque continuelle contre le peuple de Dieu ; l'arche sainte de l'alliance fut capturée, les fils d'Éli furent tués, Éli en mourut. Comme toujours quand les choses allaient mal, les Israélites se tournèrent vers le Seigneur. Ils allèrent demander conseil à Samuel. Celui-ci leur dit :

— Détruisez les dieux étrangers qui vous ont éloignés du vrai Dieu. Rassemblez-vous tous à Miçpa pour confesser vos fautes. Redevenez fidèles au Dieu véritable.

Samuel

Les Israélites se rassemblèrent donc à Miçpa sous la conduite de Samuel. Là, ils jeûnèrent, reconnurent leurs fautes et offrirent des sacrifices à Dieu.

Lorsqu'ils apprirent qu'un rassemblement israélite avait lieu à Miçpa, les Philistins décidèrent de passer à l'attaque. Des éclaireurs israélites vinrent prévenir leurs compatriotes du danger. Le peuple d'Israël s'apprêta à se défendre farouchement. Pendant que le combat faisait rage au pied de la colline, Samuel priait et offrait des sacrifices pour obtenir l'aide divine. Dieu écouta les supplications de son serviteur. De puissants coups de tonnerre semèrent la panique dans les rangs ennemis. Ce fut la débandade, et bientôt les Israélites furent vainqueurs. Cette victoire leur prouva qu'ils avaient eu raison de revenir à la foi de leurs pères.

Quand Samuel fut vieux, il établit ses fils comme juges à sa place. Mais le peuple était mécontent de ces chefs. Une délégation vint trouver Samuel et lui demanda d'établir un roi sur Israël à l'exemple des nations voisines qui, elles, étaient gouvernées par des rois. Samuel refusa car il considérait que Dieu était le vrai roi d'Israël ; il avertit le peuple que les rois avaient tendance à gouverner avec beaucoup de sévérité et à exploiter les gens.

Malgré tous les avertissements de Samuel, les Israélites continuèrent de réclamer un roi. Alors, Samuel ayant entendu la voix de Dieu, décida de se rendre à leur demande.

En ce temps-là, vivait dans la tribu de Benjamin, un jeune homme nommé Saül. Nul n'était plus beau ni plus grand que lui ; il dépassait d'une tête tous ses contemporains.

Samuel convoqua des représentants de toutes les tribus d'Israël afin de tirer le nom du nouveau roi. Le sort désigna d'abord la tribu de Benjamin, puis, à l'intérieur de cette tribu, la famille de Matri, et enfin, dans cette famille, Saül. On alla le chercher et on l'amena devant le peuple pour que celui-ci l'acclame, Samuel s'écria :

— Voici celui qu'a choisi le Seigneur ! Voici votre roi !

Saül fut donc le premier roi d'Israël. Samuel, à la fois juge et prophète, fut l'instrument de Dieu pour l'instauration de la royauté chez son peuple.

62

Le roi Saül

Le roi Saül et son fils Jonathan

Comme il n'existait encore aucune tradition concernant les devoirs et les privilèges d'un roi, Saül commença son règne en continuant tout bonnement sa vie de fermier. Les Israélites voulaient un roi qui les rallierait dans leurs combats. On attendit d'avoir à mener une bataille plus importante que les autres avant d'avoir recours à ses services. L'occasion ne se fit pas trop attendre. En effet, un groupe d'Ammonites avait dressé son camp devant la ville de Yavesh en Galaad. Ces Ammonites étaient des gens du désert renommés pour leur cruauté. Lorsque Saül apprit la menace que cette troupe faisait subir à ses compatriotes, il rassembla une armée et battit les Ammonites. Ce fut le premier acte de Saül en tant que roi et à partir de ce moment, le peuple le reconnut comme tel.

Après sa victoire sur les Ammonites, Saül garda auprès de lui les plus vaillants soldats israélites. Pour la première fois dans son histoire, une armée régulière était vouée à la défense du pays d'Israël. Le fils de Saül, Jonathan, était l'un des soldats les plus braves de cette armée. Saül en avait fait l'un de ses principaux lieutenants. Un jour, Jonathan tua un officier philistin. Aussitôt, Saül fit sonner du cor dans tout le pays pour annoncer la nouvelle. Cet incident relança la guerre entre les Israélites et les Philistins.

Les Israélites avaient de bonnes raisons de craindre les Philistins car ceux-ci étaient bien organisés et surtout mieux armés. Ils maîtrisaient les techniques du fer, techniques encore inconnues chez le peuple d'Israël.

Devant la menace des Philistins, le peuple israélite se rassembla à Guilgal sous la bannière de Saül. Saül guettait l'arrivée de Samuel qui avait promis de rejoindre les armées. C'était à Samuel, en tant que prophète, qu'il appartenait d'offrir un sacrifice au Seigneur avant le combat. Mais Samuel n'arrivait pas et l'armée s'impatientait. Afin de remonter le moral de ses troupes, Saül décida d'offrir lui-même un sacrifice au Seigneur.

Alors que Saül terminait la cérémonie du sacrifice, Samuel arriva enfin. Le prophète déplora l'initiative du roi. Saül tenta d'expliquer qu'il avait agi ainsi parce que les soldats s'impatientaient et qu'il craignait de ne plus avoir grand temps avant l'attaque des Philistins. Mais Samuel se mit en colère et dit :

— Tu as agi comme un insensé. Tu as outrepassé ton rôle. Puisque tu as désobéi au Seigneur, ta royauté ne durera pas. Bientôt, le Seigneur se choisira un autre roi, un homme selon son cœur.

Un jour, Jonathan partit seul avec son écuyer. Il attaqua un avant-poste des Philistins et réussit à s'en emparer. Cet acte astucieux sema la panique parmi les Philistins. Saül en profita pour passer à l'attaque et remporter la victoire. Le peuple acclama son roi.

Sous la conduite de Saül et de Jonathan, les guerriers israélites semblaient être devenus plus habiles au combat puisqu'ils remportèrent par la suite plusieurs victoires sur l'ennemi. Ainsi, ils vainquirent les Moabites et les Édomites, ils écrasèrent les rois de Bet-Rehob et de Coba, et ils maîtrisèrent les Philistins.

Quant à Samuel le prophète, il restait le guide et le conseiller du peuple d'Israël. Un jour, il dit au roi :

— C'est moi, Samuel, que le Seigneur envoya jadis pour te sacrer roi de ton peuple. Maintenant, obéis à ma voix. Va frapper les Amalécites. Anéantis-les tous ainsi que tout ce qu'ils possèdent.

En ces temps anciens, les mœurs de la guerre étaient barbares. Le vainqueur devait non seulement exterminer le vaincu mais aussi détruire tous ses biens, y compris ses troupeaux. Saül, à la tête de son armée, réussit à massacrer les Amalécites. Cependant, désobéissant à la consigne donnée par Samuel, il épargna le roi ennemi et ses troupeaux mais c'était pour s'enrichir du butin. Mais Samuel fut vite au courant de cette désobéissance et annonça à Saül que son règne cesserait bientôt. Saül régna quand même sur Israël jusqu'à sa mort. Cependant, Samuel avait déjà choisi son remplaçant : il s'agissait du plus jeune des fils de Jessé de la tribu de Juda, un jeune et beau berger nommé David. Samuel, sur l'ordre de Dieu, lui donna l'onction royale. Mais il fallut attendre des circonstances favorables pour que le choix de Dieu s'impose à son peuple.

David

David et le géant Goliath

Le grand-prêtre Samuel avait sacré roi d'Israël David, un berger de la tribu de Juda plein de courage et de charme. C'était un bon musicien et un homme de guerre. Il savait bien s'exprimer, il était beau et le Seigneur était avec lui. Vers la fin de son règne, le roi Saül était devenu triste et déprimé. Pour le distraire, ses serviteurs firent venir le jeune David. Lorsque le roi était triste, David jouait de la harpe. Toute la cour appréciait les chansons de David et le roi lui-même en oubliait ses soucis.

Le plus grave des soucis du roi d'Israël venait des Philistins, ennemis du peuple d'Israël. Un jour, une armée philistine s'avança en terre de Juda ; l'armée de Saül se préparait au combat. Parmi les soldats philistins, se trouvait un nommé Goliath, un véritable géant. Plusieurs jours de suite, ce colosse vint lancer un défi à l'armée israélite ; en ces temps anciens, il arrivait que deux armées ennemies organisent un combat singulier entre deux de leurs champions, chacun représentant son peuple.

Goliath venait donc narguer les soldats israélites, invitant l'un d'entre eux à venir lutter contre lui d'homme à homme. Mais les Israélites tremblaient de peur et n'osaient relever le défi, car Goliath, en plus de sa taille imposante, était coiffé d'un casque de bronze et protégé par une cuirasse, il brandissait un javelot de bronze et une lance à pointe de fer ; aucun guerrier israélite n'était aussi imposant ni aussi bien armé.

Trois des fils de Jessé faisaient partie de l'armée israélite. Un jour, leur jeune frère David vint leur porter de la nourriture. Alors qu'il se déchargeait de ses provisions, David fut témoin du défi lancé à l'armée d'Israël par le géant Goliath. Il s'étonna de ne voir personne relever le défi de l'insolent Philistin. Saül avait promis de grandes richesses et la main de sa fille à celui qui défendrait l'honneur d'Israël. David annonça alors qu'il était décidé à combattre Goliath. Ses frères essayèrent de le faire changer d'avis, le roi lui-même lui déconseilla de s'engager dans un combat aussi inégal : comment un berger pouvait-il espérer vaincre un habitué des champs de batailles ? Mais David était bien déterminé. On voulut l'équiper comme un soldat, mais David refusa l'armure et l'épée. Il choisit cinq cailloux plats et les mit dans son sac de berger. Puis, armé seulement d'une fronde, il marcha vers le Philistin.

Le jeune garçon mit une pierre dans sa fronde et la lança de toute sa force. La pierre vint frapper le Philistin en plein front. Il s'écroula, assommé. David s'approcha du grand corps étendu par terre et, s'emparant de l'épée du géant, lui trancha la tête.

La défaite de leur héros sema la panique dans les rangs des Philistins. Tandis que l'armée d'Israël poursuivait les fuyards, David rapporta au roi Saül la tête de Goliath. David avait combattu au nom du Seigneur, et il avait vaincu.

Après cette victoire spectaculaire, David fut reçu à bras ouverts par Jonathan, le fils du roi Saül. Jonathan et lui devinrent vite de très grands amis. En signe d'estime, Jonathan offrit à son nouvel ami ce qu'il avait de plus beau : son manteau, son armure, son épée, son arc et son ceinturon. Saül nomma David chef de ses troupes. Jonathan et David s'en donnaient à cœur joie contre les Philistins. Partout où ils faisaient campagne, David l'emportait. Il était aimé de tout le peuple. Partout où il passait, il attirait les foules qui l'acclamaient en disant :

— Saül en a tué mille mais David en a tué dix mille !

La fascination que David exerçait sur les foules ne plaisait guère au roi. Malgré l'irritation où le plongeaient les succès de David, Saül devait cependant donner sa fille au jeune héros comme il l'avait promis. Mais il conçut un plan pour se débarrasser de David. Il exigea que le jeune homme aille tuer cent Philistins avant de devenir son gendre.

Saül comptait bien que David serait exterminé au cours de ces combats. Mais au lieu d'abattre cent Philistins, David en tua deux cents. Saül dut finalement lui donner sa fille ainsi qu'il l'avait promis, mais sa crainte redoubla car il voyait bien que Dieu était avec David, et que, de plus en plus, le jeune héros suscitait l'admiration des Israélites.

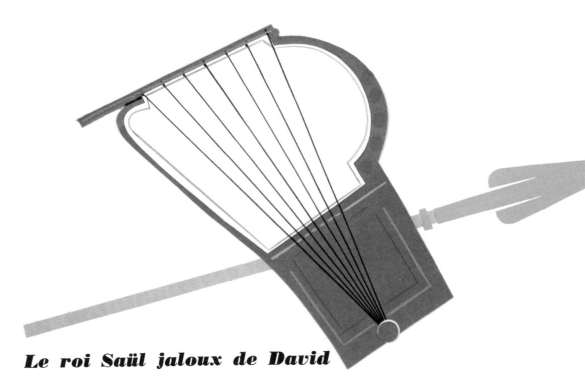

Le roi Saül jaloux de David

Ayant épousé la fille du roi, David demeura dans la maison royale où il se retrouvait chaque jour en compagnie du roi Saül. Mais depuis les nombreux succès du jeune guerrier, le roi Saül était devenu jaloux de lui. Voyant la popularité croissante de David et le prestige qu'il tirait de ses victoires, Saül décida de se débarrasser de lui. Un jour où le jeune musicien jouait tranquillement de la harpe, le roi brandit brusquement sa lance et s'écria :

— Je vais clouer David au mur.

David réussit à esquiver le coup mais il savait désormais que son roi cherchait à le faire périr. Heureusement, David avait des alliés dans le palais : sa femme Mikal et son ami Jonathan. Un soir, Mikal entendit Saül donner l'ordre de tuer David pendant son sommeil. Elle le fit fuir par une fenêtre et plaça dans son lit une statue de bois. Les serviteurs chargés de tuer David ne purent que constater sa fuite. David ne voulut pas retourner au palais. Il préféra se réfugier à la campagne dans une cachette sûre. Son ami Jonathan vint le rejoindre dans sa retraite. Jonathan lui apprit la cause de la haine du roi : la terrible jalousie qui augmentait à chacune des victoires de David. Et Jonathan ajouta qu'il promettait d'avertir David des projets de son père. Dorénavant, Jonathan veillerait sur David.

À partir de ce jour, David vécut dans les collines et les déserts de Juda, se déplaçant sans cesse afin de mieux déjouer ses poursuivants. Une troupe de parents et d'amis fidèles le suivait partout où il allait. Ils menaient une vie errante, s'abritant dans les grottes ou campant dans le désert. Mais Saül avait ses espions et dès qu'il était informé des déplacements de David, il partait à sa poursuite avec une partie de son armée. Un jour, Saül et ses troupes avaient poursuivi David très loin dans le désert. David ayant été informé de l'endroit où campait l'armée du roi, s'y rendit en cachette. Il trouva Saül et ses hommes endormis. David se faufila dans la tente du roi. Saül, sa lance plantée en terre à son chevet, se trouvait complètement à la merci de David. Mais David se contenta d'emporter la lance.

Le lendemain matin, David, du haut d'une colline, apostropha le roi :

— Saül ! tes serviteurs n'ont pas su veiller sur toi. Regarde où est rendue ta lance ! Tu vois que je ne te veux aucun mal ; la nuit dernière, j'aurais pu te tuer mais je ne l'ai pas fait.

Cependant, David continua à vivre à l'écart comme un proscrit car il n'était pas vraiment rassuré sur les intentions du roi. La guerre persistait entre les Israélites et les Philistins. Il y eut une grande bataille au mont Guilboa. Trois des fils de Saül furent tués, dont Jonathan, l'ami de David. Tout à coup, le roi Saül lui-même fut entouré de soldats ennemis. Voyant qu'il ne pouvait leur échapper, Saül se jeta sur son épée, préférant se donner la mort plutôt que de tomber aux mains des Philistins. Un rescapé de la bataille de Guilboa vint annoncer à David la mort de Saül et de Jonathan. David déchira ses vêtements en signe de deuil, et composa une complainte sur la mort de Saül et de son fils Jonathan.

— O mont de Guilboa, qu'il n'y ait plus sur toi ni rosée ni pluie car là tombèrent les héros !

Malgré sa peine, David comprit que le peuple israélite avait besoin d'un roi. Il savait que le Seigneur, par la voix du prophète Samuel, l'avait choisi pour succéder à Saül. Il décida donc de revenir vivre au milieu de son peuple.

Le roi David

David quitta bientôt sa retraite dans la montagne pour se rendre, avec sa famille, dans la ville d'Hébron. Là, les gens de la tribu de Juda et des autres tribus d'Israël lui demandèrent de régner sur l'ensemble du pays, car tous étaient d'accord pour reconnaître que Dieu lui-même l'avait désigné. David devint alors officiellement le roi de tout le pays.

Peu à peu, les tribus d'Israël qui avaient été dispersées se regroupèrent autour de leur roi et formèrent une véritable nation. David entreprit alors la conquête de la ville de Jébus qui deviendra Jérusalem, la capitale du pays d'Israël.

Il s'empara de la forteresse de Sion qu'on appela désormais « Cité de David ». David avait fait un bon choix en établissant la capitale d'Israël à Jérusalem ; la ville, située sur des collines, était centrale et facile d'accès pour toutes les tribus.

Dès que David fut installé à Jérusalem, il s'empressa d'y faire venir l'arche d'alliance, symbole de la présence de Dieu parmi les siens. Quand les porteurs s'approchèrent de la Cité de David avec leur précieux fardeau, le roi David, vêtu comme un prêtre d'un pagne de lin, offrit à Dieu un sacrifice.

Autour de l'arche, un cortège de musiciens entourait les porteurs. Les cors et les tambourins, les luths, les harpes, les sistres et les cymbales résonnaient dans les murs de la cité. Le roi David se souvint qu'il était musicien. Transporté par les accords entraînants des instruments de musique, il se mit à danser devant l'arche pour exprimer sa joie et sa reconnaissance. Depuis lors, Jérusalem est devenue la capitale politique d'Israël, mais plus encore le centre de la vie religieuse et du culte.

David était roi, et un roi de plus en plus puissant car Dieu lui était favorable, ainsi que le lui avait annoncé le prophète Nathan.

— Tout ce que tu as l'intention de faire, fais-le, car le Seigneur est avec toi. Ainsi parle le Seigneur : « C'est moi qui t'ai pris au pâturage derrière le troupeau pour que tu deviennes le chef de mon peuple. J'ai été avec toi partout où tu es allé ; j'ai détruit tous tes ennemis devant toi. Ta maison et ta royauté seront à jamais établies et ton trône à jamais affermi. »

David entreprit donc d'administrer le pays, tout en poursuivant ses guerres contre les peuplades ennemies d'Israël. Parfois, il envoyait ses généraux faire la guerre tandis que lui restait dans son pays.

Un soir que David se promenait sur la terrasse de son palais, il vit passer une femme qu'il trouva très belle. On lui apprit qu'elle s'appelait Bethsabée et qu'elle était l'épouse d'Urie, l'un des officiers partis à la guerre. Le roi fit venir Bethsabée dans son palais pour qu'elle devienne sa femme. Bethsabée plut tellement au roi, qu'il décida de la garder pour lui seul. Il expédia donc un message au grand général de ses armées, lui ordonnant de placer Urie en première ligne, au plus fort de la bataille, puis de l'abandonner pour qu'il se fasse tuer. Le général obéit aux ordres de son roi : l'officier trouva la mort dans la bataille. S'étant débarrassé d'Urie, David pouvait maintenant garder Bethsabée chez lui pour toujours. Il en était très heureux ; mais le prophète Nathan vint le trouver et lui dit :

— Écoute cette histoire, ô grand roi ! Il y avait deux hommes dans une ville, l'un riche et l'autre pauvre. Le riche avait de nombreux troupeaux ; le pauvre, lui, n'avait qu'une petite agnelle qu'il aimait beaucoup et dont il prenait grand soin. Un jour, un visiteur se présenta chez l'homme riche ; l'hôte voulut préparer un bon repas ; mais au lieu de prendre une bête dans son troupeau, il alla chez son voisin le pauvre et lui arracha la petite agnelle. Que penses-tu de cet homme ?

— Cet homme est un criminel ! s'écria David. Il mérite la mort !

— Cet homme c'est toi ! Tu as pris la femme de ton officier Urie pour en faire ta femme. Tu as causé la mort de ce pauvre homme. Tu as provoqué la colère de Dieu.

David se jeta à genoux. Il entendait les paroles du prophète et comprenait sa faute. Il s'écria :

— Je sais que mon péché est grand, Seigneur, mais je t'en prie, pardonne à ton serviteur ! Je me repens, je ferai pénitence !

Bethsabée donna naissance à un premier fils qui mourut. Mais parce que David s'était repenti, Dieu lui pardonna sa faute. Et, un peu plus tard, David et Bethsabée eurent un deuxième fils qu'on appela Salomon, c'est-à-dire « homme de la paix ».

74

David réussit peu à peu à repousser du territoire d'Israël les peuplades ennemies. Il imposa un tribut, c'est-à-dire une sorte d'impôt, à certains groupes étrangers en échange du droit de s'établir sur des territoires israélites. Pour la première fois, au lieu de vivre dans la guerre et l'insécurité, les tribus d'Israël pouvaient vivre dans la paix et la prospérité. Sous l'habile direction de David, le pays d'Israël était en train de devenir un État bien organisé. Les Israélites remerciaient le Seigneur d'avoir placé David à leur tête. Installé dans son palais à Jérusalem, le roi David vivait à la manière des rois de ce temps-là ; il avait beaucoup de serviteurs et plusieurs femmes qui lui avaient donné de nombreux enfants ; ceux-ci se firent souvent la guerre pour prendre la place de leur père.

David régna encore de nombreuses années. Malgré ses fautes passées, Dieu remplit les promesses qu'il avait faites à David par la voix du prophète Nathan et lui accorda un règne long et prospère.

David

Le roi Salomon

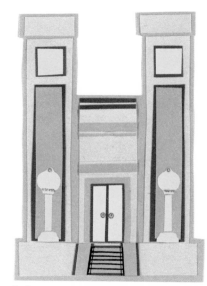

Peu avant sa mort, le roi David désigna son fils Salomon comme son successeur. Au début de son règne, le roi Salomon se rendit en un haut lieu nommé Gabaon pour y offrir un sacrifice au Seigneur. Là, Dieu lui apparut en rêve et lui dit :

— Salomon, tu règnes maintenant sur mon peuple. Demande-moi tout ce que tu voudras ; je te l'accorderai.

— O Dieu, tu as été bon pour mon père David parce qu'il s'est conduit avec loyauté et droiture à ton égard. À présent, me voici sur son trône. Mais moi, Salomon, je suis encore très jeune et je ne sais pas gouverner. Je t'en prie, Seigneur, donne-moi un cœur prudent afin que je sache discerner le bien du mal et que je gouverne ton peuple avec sagesse.

— Tu n'as pas demandé la richesse ni la mort de tes ennemis ; tu as demandé la sagesse pour gouverner avec droiture. Je te donne un cœur sage : personne ne saura gouverner comme toi. Je t'accorde de plus ce que tu n'as pas demandé : la richesse et la gloire.

Salomon se releva et fit silence en lui. Les paroles de Dieu résonnaient en son cœur. Il avait reçu ce qu'il demandait et plus encore. De retour à Jérusalem, Salomon alla se prosterner devant l'arche d'alliance et offrit des sacrifices au Seigneur pour le remercier de ses promesses.

La réputation de la grande sagesse du roi s'étendit peu à peu. On venait de partout pour l'entendre rendre justice. Son jugement le plus célèbre fut celui qu'il porta dans le cas de deux femmes qui se disputaient à propos d'un bébé. Ces deux femmes habitaient ensemble et elles avaient chacune un bébé du même âge. Une nuit, l'un des enfants mourut. La mère du petit, profitant du sommeil de sa compagne, plaça son enfant mort à la place de l'autre et s'empara de celui qui était vivant. Le lendemain matin, l'autre mère, en s'éveillant, s'aperçut de la supercherie. Elle réclama son bébé, mais la mère du petit mort ne voulut rien entendre. Alors, désespérée, la maman du petit survivant en appela au jugement de Salomon que l'on disait si sage.

Salomon regarda les deux femmes qui criaient et se disputaient au sujet d'un bébé. Il demanda le silence. Appelant un soldat, il lui ordonna de couper l'enfant en deux et d'en donner la moitié à chacune. Il voulait ainsi les mettre à l'épreuve. La vraie maman du petit s'écria :

— Non, Seigneur ! Arrêtez ! Ne le tuez pas ! Je préfère que vous le donniez à cette femme plutôt que de le voir mort.

— Qu'on le tue ! dit l'autre femme, ainsi il ne sera ni à elle ni à moi !

— Rendez le bébé à cette femme, ordonna Salomon en désignant la vraie maman du petit. C'est elle qui est la mère, car son cœur a parlé. Elle est prête à se séparer de son enfant pour qu'il reste vivant.

Le père de Salomon, le roi David, avait été un bon guerrier, menant ses armées à la victoire pour défendre son territoire. Mais lorsque Salomon devint roi d'Israël, le pays n'était plus en guerre ; la paix et la prospérité étaient établies et Israël vivait en bons termes avec ses voisins. Le roi Salomon en profita pour intensifier le commerce avec les autres nations.

Le roi Salomon fut un constructeur. Pour lui et sa famille, il fit bâtir de nombreux palais. Mais son œuvre principale fut l'édification d'un temple magnifique, une maison du Seigneur destinée à abriter l'arche d'alliance et à servir de lieu de culte pour tous les Israélites. C'est le temple de Jérusalem, qui deviendra l'unique temple des Juifs. Il fallut sept ans pour terminer ce temple. Le commerce que Salomon avait entrepris avec les nations voisines lui permit de disposer de matériaux de choix pour ses constructions : pierres de taille, bois de cèdre, métaux précieux. Lorsque le temple fut terminé, Salomon y fit transporter en grande pompe la fameuse arche d'alliance qui contenait les tables de la loi. À la fin de la cérémonie, Salomon se prosterna devant l'arche et pria le Seigneur :

— O Dieu, veille sur cette maison qui est ta maison. Que cette maison que j'ai bâtie en ton nom devienne un lieu privilégié pour te prier, t'offrir des sacrifices et recevoir ton pardon.

La renommée de Salomon dépassait largement les frontières de son pays. Un jour, la reine de Saba, souveraine d'un royaume situé au sud-ouest de l'Arabie, entreprit un long voyage pour venir rendre visite au roi Salomon. Elle s'aperçut que la renommée de ce roi était méritée. Avant qu'elle ne s'en retourne dans son pays, le roi Salomon combla de cadeaux la reine de Saba. Mais ce qu'elle rapportait de plus précieux, c'était l'image de cet homme grand et sage.

Comme tous les rois de cette époque, Salomon avait un grand nombre de femmes. La plupart de ces femmes étaient étrangères. Elles continuaient à adorer leurs dieux. Vers la fin de sa vie, Salomon se laissa détourner du vrai Dieu pour adorer les idoles que ses femmes avaient établies en divers lieux du pays.

Le Seigneur s'irrita contre Salomon parce que son cœur s'était détourné de lui.

Ainsi, le règne de Salomon, commencé dans la prospérité et la gloire, se termina dans la division.

Les prophètes Élie et Élisée

Après la mort du roi Salomon, le pays d'Israël se divisa en deux : le royaume du nord, comprenant dix tribus, prit le nom de Royaume d'Israël et le sud, comprenant deux tribus, s'appela Royaume de Juda. Le fils de Salomon régna seulement sur le royaume de Juda. Le roi Achab régna sur le royaume d'Israël.

En ce temps-là, les rois d'Israël et de Juda désobéirent aux lois de Dieu. Ils se mirent à adorer Baal et d'autres idoles. C'est alors que Dieu envoya des prophètes pour ramener son peuple dans le droit chemin. Ces hommes entendaient la voix de Dieu dans leur cœur. Ils parlaient au nom du Seigneur et, bien sûr, ils reprochaient aux gens leurs infidélités envers le Seigneur, leur injustice et leur dureté envers leurs frères. Ainsi, le prophète Élie vint à la cour du roi Achab pour le rappeler à ses devoirs.

Élie reprocha à Achab d'avoir épousé Jézabel, une princesse phénicienne, arrogante et cruelle. Jézabel avait obtenu d'Achab qu'il fasse construire un temple dédié au dieu Baal, où elle allait offrir des sacrifices. Entraîné par sa femme, le roi Achab avait complètement abandonné le Dieu de ses pères pour se consacrer, lui aussi, au culte des idoles. Elie annonça qu'aucune pluie, aucune rosée ne tomberait dans le royaume d'Israël à cause des infidélités du roi envers le vrai Dieu.

Le prophète Élie, après avoir annoncé la sécheresse, se retira dans le désert ; il s'y cacha car Jézabel voulait le faire mourir. Mais Dieu le protégeait ; chaque matin et chaque soir, des corbeaux venaient lui porter à manger et l'eau d'un torrent servait à le désaltérer. Jézabel ne réussit pas à découvrir sa retraite.

Soutenu par la nourriture que Dieu lui envoyait, il marcha jusqu'au mont Sinaï. Il se réfugia dans une caverne pour y passer la nuit. C'est là que la voix de Dieu se fit entendre :

— Sors et tiens-toi sur la montagne ; sois attentif car moi, ton Seigneur, je vais passer.

Élie sortit de la caverne et monta au sommet de la montagne. Il sentit passer un vent violent qui charriait des morceaux de rochers ; mais le Seigneur n'était pas dans ce vent. Puis, il y eut un tremblement de terre ; le Seigneur n'était pas dans le tremblement de terre. Ensuite, il y eut un feu ; le Seigneur n'était pas dans ce feu. Et après le feu, Élie entendit le bruissement d'un souffle ténu. En l'entendant, Élie se voila le visage avec son manteau, car cette fois, c'était bien le Seigneur qui passait. Et la voix de Dieu lui donna l'ordre d'aller chercher Élisée, le fermier pour qu'il devienne prophète, lui aussi.

Élie se mit en route. Bientôt, il rencontra Élisée en train de labourer sa terre. Élie lui jeta son manteau. Aussitôt, Élisée abandonna sa charrue pour suivre Élie. Il demeura avec Élie, se mit à son service et devint prophète à son tour.

Élie et Élisée parcouraient le pays en dénonçant les fautes du roi Achab et de la reine Jézabel. Élie confondit les prêtres du dieu Baal, prouvant que ce dieu n'existait pas. Alors, la reine s'employa plus que jamais à trouver un moyen de le faire mourir.

Élie n'était pas le seul homme que Jézabel voulait éliminer. Nabot, un fermier, possédait une vigne non loin du palais royal. Le roi Achab désirait acquérir cette vigne, mais Nabot refusait de la céder car c'était l'héritage de ses pères et il y tenait beaucoup. Voyant le roi contrarié par ce refus, Jézabel conçut un plan diabolique pour lui procurer les terres de Nabot : elle fit accuser faussement Nabot de trahison et on le lapida.

Quand Élie apprit ce crime, il se décida à parler au roi malgré le danger qu'il courait d'être lui-même mis à mort. Mais Dieu était avec lui et il lui inspira les paroles capables d'émouvoir le roi. Alors Achab, pris de remords, déchira ses vêtements, se vêtit d'un sac et se mit à jeûner pour expier ses fautes.

Élie apprit un jour à Élisée qu'il allait le quitter car le Seigneur le rappelait auprès de lui. Mais Élisée ne voulut pas abandonner son maître. Ils se mirent donc en route ensemble. Arrivés devant le Jourdain, Élie enleva son manteau et en frappa les eaux qui se séparèrent, un peu comme lorsque Moïse traversa la mer Rouge. Lorsque les deux compagnons eurent passé le Jourdain, Élie s'adressa de nouveau à Élisée, lui disant qu'il pouvait demander ce qu'il voulait. Élisée demanda alors d'hériter de l'esprit prophétique de son maître. Le moment était venu de se quitter pour de bon.

Soudain, apparut un char de feu tiré par des chevaux de feu. Élie fut enlevé au ciel par cet attelage. C'est ainsi que les raconteurs des temps anciens décrivent la disparition de l'un des grands prophètes d'Israël, le prophète Élie.

Au cours des siècles, beaucoup d'hommes se sont levés, comme Élie et Élisée, pour parler au nom de Dieu. Ce sont les prophètes, dont la Bible a conservé l'histoire et les paroles. Malgré leurs avertissements, les rois et les peuples furent souvent infidèles à Dieu. Alors de grands malheurs s'abattirent sur les deux royaumes. Sans cesse, les guerres reprenaient avec les pays voisins. Ainsi le roi des Assyriens s'empara du royaume d'Israël en 722 et déporta la population. En 587 avant Jésus-Christ, Nabuchodonosor, le terrible roi de Babylone, détruisit Jérusalem et son temple et envoya la population en exil. Mais à partir de 538, certains groupes juifs revinrent s'installer dans leur pays d'origine et reconstruisirent le temple.

Le sage Daniel dans la fosse aux lions

À l'époque des grands malheurs, alors que les Juifs subissaient l'occupation et l'exil, ils inventèrent de belles histoires pour garder confiance en Dieu et se donner du courage. Voici l'histoire de Daniel, un personnage qui est resté inébranlable alors qu'on voulait le détourner de sa religion.

Parmi les Juifs qu'on avait amenés de force à Babylone, sous Nabuchodonosor, se trouvait un jeune homme nommé Daniel. On l'avait choisi avec quelques autres jeunes gens particulièrement beaux, intelligents et savants, pour qu'ils se tiennent tout spécialement au service du roi Nabuchodonosor dans son palais. En tant que serviteurs particuliers du roi, ces jeunes gens avaient droit à des repas semblables à ceux qu'on servait à la table royale ; mais la loi juive comportait des règles très strictes quant à la nourriture. Or, les coutumes alimentaires à la cour du roi ne tenaient évidemment pas compte des interdits de la loi juive concernant les aliments.

Daniel décida de respecter les lois religieuses de son pays. Il refusa courageusement la nourriture venant de la table du roi, défiant ainsi les coutumes du vainqueur.

En refusant la nourriture prescrite par le roi, Daniel risquait de sévères punitions. Mais, fort heureusement, l'officier responsable de la table royale accepta de ne servir que des légumes au jeune Israélite. Au bout de quelques jours, il put constater le résultat : le jeune homme se portait aussi bien et même mieux que ceux qui s'en étaient tenus au menu habituel. Même dans son exil, Daniel était donc fidèle au vrai Dieu et à ses lois.

Quelques années plus tard, un nouveau roi régna sur Babylone : le roi Darius. Daniel avait été promu au rang de ministre. « Daniel avait en lui un esprit extraordinaire », dit la Bible, « et le roi projetait de l'établir sur tout le royaume. » Alors, les autres ministres devinrent jaloux de lui et cherchèrent à le prendre en faute. Mais ils ne lui trouvaient rien à lui reprocher. Ils décidèrent d'utiliser un subterfuge. Pour se débarrasser de Daniel, les ministres suggérèrent au roi le règlement suivant :

— Pendant les trente jours qui suivront, toute personne qui adressera une prière à tout autre dieu que le roi lui-même sera jetée dans la fosse aux lions.

Bien sûr, Daniel ne pouvait se plier à ce règlement. Il continua donc à faire sa prière au Dieu invisible. Trois fois par jour, il se tournait vers Jérusalem, se mettait à genoux et rendait hommage au Dieu de ses pères, sachant très bien qu'on pouvait le voir à sa fenêtre.

Les ministres s'empressèrent de dénoncer Daniel auprès du roi Darius. Le roi fut très chagriné ; il n'avait pas prévu que ce règlement suggéré par ses ministres entraînerait la perte de Daniel. Mais il se devait d'appliquer cette loi qu'il avait lui-même proclamée.

Dans ces temps anciens, on faisait parfois mourir les condamnés en les jetant en pâture à des lions affamés. Daniel fut donc jeté dans la fosse aux lions, ainsi qu'il était prévu dans l'édit royal auquel il avait désobéi. Dès l'aube, le roi Darius, tout inquiet, se rendit près de la fosse. Daniel s'empressa de le rassurer :

— Je suis vivant, ô mon roi, Dieu a envoyé son ange pour me protéger. Il a fermé la gueule des lions parce que je suis innocent devant lui et devant toi.

Le roi, tout heureux, fit sortir Daniel de la fosse. Convaincu de la puissance du Dieu de Daniel, le roi Darius écrivit à tous les peuples voisins proclamant que le Dieu de Daniel était le seul vrai Dieu.

Le prophète Jonas

À lire les déclarations de divers prophètes d'Israël, on se rend compte que ces porte-parole de Dieu n'avaient pas toujours choisi le rôle qui leur était confié. Pour illustrer la difficulté de la vocation de prophète dans le peuple israélite, un raconteur des temps anciens a écrit l'histoire extraordinaire et bien amusante de Jonas.

Un jour que Jonas vaquait tranquillement à ses occupations, il entendit en son cœur la parole du Seigneur. Dieu lui ordonnait d'aller convertir les habitants de la ville de Ninive, la plus grande ville du monde, car les Ninivites offensaient le Seigneur par leur vie désordonnée. Jonas fut d'abord surpris en entendant la voix de Dieu ; il n'aurait jamais deviné que Dieu le choisirait un jour pour être son prophète. Puis, il fut embarrassé : c'était déjà bien dangereux de faire des reproches à ses propres compatriotes ; certains prophètes en avaient récolté des coups et toutes sortes de mauvais traitements. Mais aller faire des remontrances aux Ninivites, des gens qui ne pratiquaient même pas la religion juive, cela devenait de la témérité. Jonas eut peur : aussi choisit-il d'ignorer la parole de Dieu.

Pour échapper à l'appel de Dieu, Jonas décida de partir en voyage dans une direction opposée à celle de la ville de Ninive. Il se rendit à Jaffa ; de là, il prit un bateau qui l'éloignerait encore de cette mission qui lui faisait si peur. Comme le bateau s'éloignait du rivage, Jonas se crut en sécurité et s'installa confortablement pour dormir. Mais, tandis qu'il sommeillait, une violente tempête se mit à secouer le navire. Les marins effrayés invoquèrent leurs dieux, mais en vain. Dans l'esprit des hommes de ce temps, un malheur était forcément une punition des dieux. Ils se demandèrent donc lequel des occupants du bateau avait attiré sur eux la tempête. On réveilla Jonas pour le faire participer à un tirage au sort qui ferait connaî-le responsable du malheur qui les frappait.

Le sort désigna Jonas. Quand les marins comprirent que Jonas avait failli à sa mission, il devint clair pour eux qu'il avait attiré la colère du ciel en fuyant la volonté de Dieu et ils décidèrent de le jeter par-dessus bord. Dès lors la tempête se calma. Mais Jonas fut avalé par un énorme poisson et, après avoir passé trois jours dans le ventre de ce poisson, il fut rejeté sur le rivage. Jonas avait compris l'importance et la nécessité de sa mission. Une fois rescapé de son séjour forcé dans la mer, il s'empressa de rebrousser chemin pour se rendre à Ninive.

Une fois rendu dans la ville, Jonas la parcourut dans tous les sens, en criant :

— Gens de Ninive ! Écoutez la parole de Dieu : dans quarante jours cette ville sera détruite, si ses habitants ne changent pas de vie !

La parole de Dieu toucha les habitants de Ninive. Le roi ordonna un jeûne collectif et des prières au Dieu de Jonas. Les Ninivites changèrent de vie et cessèrent de faire le mal. Alors Dieu décida de ne pas leur infliger la punition annoncée.

Cependant, Jonas était un peu perplexe : on lui avait appris que le Dieu du ciel s'occupait particulièrement de son peuple, le peuple choisi, le peuple d'Israël. Or, voilà que ce même Dieu s'occupait aussi des habitants d'une ville étrangère.

Jonas décida de se construire une hutte aux abords de Ninive pour suivre de près les événements. Le temps passait ; et voilà qu'une plante poussa près de la hutte, donnant de l'ombre et de la fraîcheur à Jonas. Mais bientôt, des insectes attaquèrent la plante qui se dessécha et mourut. Jonas était désolé. Alors Dieu lui dit :

— Tu as pitié de cette plante que, pourtant, tu n'as pas fait croître. Moi, j'ai eu pitié de Ninive et des nombreux êtres humains qui l'habitent.

Jonas comprit alors que tous les hommes étaient frères et que Dieu s'intéressait à toutes ses créatures.

La reine Esther

Quand ils vivaient au milieu de peuples étrangers, les Juifs ont souvent été persécutés à cause de leur religion et de leurs coutumes. L'histoire d'Esther leur était un exemple de courage, de confiance et d'espérance.

Les rois des temps anciens avaient souvent plusieurs femmes. Celles-ci vivaient toutes ensemble dans une maison appelée « harem ». Au temps de Xerxès, roi de Perse, une jeune Juive nommée Esther faisait partie du harem royal. Esther était très belle et Xerxès l'aimait beaucoup. Il en avait fait sa favorite et l'avait proclamée reine sans savoir qu'elle était juive. La reine Esther était la fille adoptive de Mardochée, un Juif pieux qui vivait dans la ville du roi Xerxès. Un jour où Mardochée était venu au harem pour visiter Esther, il entendit deux gardiens comploter contre le roi. Mardochée les dénonça, les deux hommes furent punis et le roi récompensa Mardochée. Cet événement fut consigné dans les annales royales.

Quelques temps après, le roi prit pour ministre un nommé Haman. Cet Haman était méchant et orgueilleux. Fier de son nouveau titre, il exigea que chacun se prosterne devant lui. Tous obéirent sauf Mardochée, car les Juifs ne se prosternaient que devant leur Dieu. Furieux, Haman résolut d'exterminer non seulement Mardochée mais, avec lui, tout le peuple juif. Il alla trouver le roi et lui dit que ce peuple était une menace pour l'unité du royaume, car ses lois contredisaient les lois royales.

Le roi se laissa convaincre par les arguments de Haman. Enlevant de son doigt l'anneau portant le sceau royal, le roi le donna à Haman en lui recommandant de donner des ordres à propos de ce peuple si dérangeant.

Haman expédia des lettres par tout le royaume, ordonnant que le treizième jour du douzième mois, tous les Juifs soient exécutés et que tous leurs biens soient livrés au pillage.

En apprenant cette nouvelle, Mardochée se revêtit d'un sac en signe de deuil et se rendit devant la porte principale du palais du roi. Esther l'aperçut et s'approcha aussitôt de lui pour connaître la raison de son deuil. Il la mit au courant de l'édit proclamé par Haman, l'ennemi des Juifs, et il ajouta :

— Notre salut est entre tes mains, ma fille. Le roi t'aime beaucoup ; tu dois lui demander grâce pour ton peuple.

Esther lui dit :

— Que tous les Juifs de la ville jeûnent et prient le Seigneur pour moi. Au risque de ma vie, je parlerai au roi.

Comme la plupart des grands personnages, le roi Xerxès avait établi des règlements très sévères concernant la conduite de son entourage. Quiconque approchait de lui sans avoir été appelé était condamné à mort, à moins que le roi ne lui tende son sceptre, l'autorisant ainsi à lui parler.

Au bout de trois jours, Esther, n'écoutant que son courage, mit ses plus beaux vêtements et entra dans la salle du trône. Aussitôt, le roi lui tendit son sceptre d'or. Il était si heureux de la voir qu'il lui promit ce qu'elle voulait, fût-ce la moitié de son royaume. Mais Esther se contenta de l'inviter à un banquet qu'elle voulait donner en son honneur. Le roi accepta l'invitation d'Esther. La reine avait aussi invité le ministre Haman. Tout fier de cet honneur, Haman se rendit chez la reine. Sur son chemin, il croisa Mardochée, qui le toisa de loin. Furieux de se voir encore une fois défié par ce Juif, Haman s'occupa de faire dresser une potence afin de le pendre.

La reine reçut ses invités avec beaucoup de faste. Elle s'était parée magnifiquement. La voyant si gracieuse et si charmante, le roi la regarda avec tendresse. Esther en profita pour lui parler ; elle lui apprit qu'elle était juive et que son peuple était sur le point d'être massacré.

Le roi voulut savoir le nom du responsable de cette initiative. Esther lui apprit qu'il s'agissait de son ministre Haman. Elle ajouta qu'il voulait faire pendre Mardochée, son père adoptif, celui-là même qui avait sauvé le roi d'un complot. Le roi ne répondit rien mais il s'approcha de Haman et lui demanda conseil sur ce que lui, Xerxès, pouvait faire pour honorer tout particulièrement un homme qui avait bien servi le roi. Croyant qu'il s'agissait de lui, Haman répondit :

90

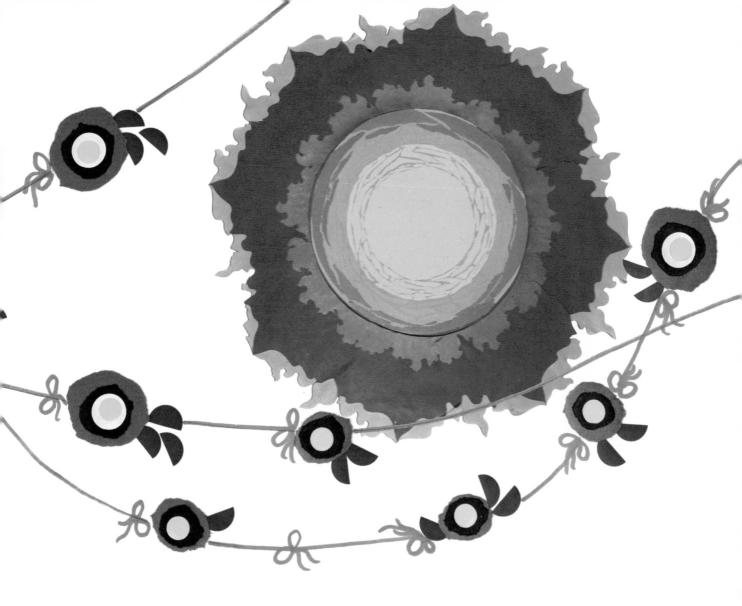

—O roi, pour honorer l'un de tes plus éminents sujets, il faudrait le vêtir d'un habit royal, le faire monter sur l'un de tes plus beaux chevaux et le promener dans les rues de la ville en criant : « Voici un homme auquel le roi veut faire honneur ! »

—Bien parlé, Haman. Tout ce que tu viens de me décrire, tu vas le faire pour le Juif Mardochée. Et quand tu auras fini, c'est toi qu'on pendra à la potence que tu avais préparée pour lui parce que, pour servir tes intérêts, tu as voulu détruire un peuple qui m'est fidèle.

Le jour prévu pour l'exécution du peuple juif devint un jour de réjouissances plutôt qu'un jour de détresse. Ce jour-là, tous les Juifs du royaume organisèrent de grandes fêtes. Cette célébration s'est perpétuée à travers les siècles chez le peuple juif pour devenir la fête annuelle des Destinées.

91

Le saint homme Job

Pourquoi donc le malheur serait-il une punition de Dieu? Les malheureux sont-ils des coupables ? En Israël, on racontait une histoire pour encourager les croyants à garder espoir même dans le malheur.

Autrefois, dit un raconteur des temps anciens, vivait un homme nommé Job, homme honnête et craignant Dieu. Job était heureux et prospère : il était le chef d'une famille nombreuse, il possédait de vastes troupeaux et beaucoup de serviteurs travaillaient pour lui. Le Seigneur aimait Job, il le considérait comme un fidèle serviteur.

L'Adversaire, celui qui représente les forces du mal, déclara qu'il était bien facile pour Job d'être bon et honnête, puisqu'il était riche et heureux, mais que si Job perdait tout ce qu'il possédait, il deviendrait sûrement méchant. L'Adversaire était jaloux de l'amour que Dieu portait à Job et il était décidé à lui nuire. Le Seigneur permit à l'Adversaire de soumettre Job à diverses épreuves, car il était sûr de la fidélité de son serviteur.

La première épreuve ne se fit pas attendre. Un messager accourut auprès de Job pour lui annoncer une bien mauvaise nouvelle : une troupe de voleurs venait d'enlever les bœufs aux labours et le troupeau d'ânesses, massacrant les serviteurs qui les gardaient. Ce récit n'était pas encore terminé qu'on annonçait une autre catastrophe : la foudre du ciel avait frappé les moutons et ceux qui les gardaient.

Le pauvre Job n'eut pas le temps de se remettre de cette mauvaise nouvelle, qu'un serviteur, hors d'haleine, s'empressa de le mettre au courant d'une autre catastrophe : une bande de Chaldéens s'était emparée de tous les chameaux. Job était maintenant ruiné ; tous ses biens avaient été volés ou détruits. C'était une rude épreuve pour un homme habitué à l'aisance. Mais Job garda confiance en Dieu. Alors l'Adversaire voulut aller encore plus loin en enlevant aussi à Job ceux qu'il aimait. Tandis que les fils et les filles de Job étaient tous réunis chez leur frère aîné, un ouragan frappa la maison qui s'écroula. Tous furent tués, pas un seul n'en réchappa. Accablé par tant de malheurs, Job ne se révolta pas contre Dieu. Il acceptait ses épreuves et bénissait le nom du Seigneur. Il disait :

— Je suis sorti tout nu du ventre de ma mère et, quand je mourrai, je retournerai tout nu à la terre.

Même dans le malheur, Job restait fidèle à Dieu et se gardait du mal. L'Adversaire n'était pas heureux du résultat de ses tentatives pour éloigner Job du Seigneur. Il résolut de frapper un grand coup : il toucherait Job dans sa chair, il le rendrait malade. Le Seigneur permit à l'Adversaire de frapper Job d'une terrible maladie. Son corps se couvrit de plaies et le pauvre Job dut aller vivre loin de tous à cause de la contagion possible. Alors sa femme, devant tant de souffrances, lui conseilla la révolte. Mais Job restait inébranlable dans sa confiance en Dieu, en se demandant cependant quelle pouvait bien être la raison de ces malheurs.

Malade, abandonné de tous les siens, Job continuait quand même à croire en un Dieu bienveillant. Cependant, des amis de Job, ayant entendu parler de ses épreuves, se rendirent auprès de lui afin de le plaindre et de le consoler. Au chevet du pauvre Job, les amis se succédèrent. Tous, ils tentaient d'expliquer ses malheurs par de prétendues fautes que Job aurait commises. Mais Job, lui, savait bien qu'il était sans reproche. Aucun de ses amis n'arriva à le consoler. Dieu seul pourrait répondre à son angoisse et à ses terribles questions. Dieu s'adressa lui-même à son ami fidèle ; il lui dit :

— Dis-moi, toi qui es si savant, qui a fixé les mesures de la terre et les limites de l'océan ? D'où viennent les ténèbres et la lumière ? Où sont les réserves de neige, de grêle et de vent ? Qui gouverne les saisons ? Qui règne sur les animaux ?

— Tu es le maître de toutes choses, répondit Job. Je veux que de moi, tu disposes. Devant toi, je tombe à genoux pour te bénir.

Dieu fut touché de la confiance aveugle de son serviteur Job. Il le donna en exemple à ses amis qui avaient cherché en vain à expliquer ses souffrances, tandis que lui acceptait de souffrir sans comprendre.

Alors, le Seigneur, dans sa sagesse, décida que le temps des épreuves avait assez
duré pour Job, son serviteur. Il permit que
Job guérisse et s'enrichisse de nouveau ;
il lui donna une nouvelle famille, plusieurs
fils et plusieurs filles. Job posséda encore
plus de bêtes et de richesses qu'avant le
temps de ses malheurs. Il vécut très vieux,
entouré de l'affection de tous. Parce qu'il
avait su accepter l'épreuve, Job avait pu
parvenir à un plus grand bonheur.

Table des matières

Toi qui as lu et regardé cet album, sache que la Bible est un livre très ancien qui raconte à tous les hommes les projets de Dieu sur le monde. Pour les juifs et les chrétiens en particulier, la Bible est un message de Dieu d'une très grande importance.

Ce message, Dieu nous l'adresse à travers l'histoire du peuple juif et ce qu'a dit et fait Jésus. C'est pourquoi on appelle la Bible le livre de la Parole de Dieu. C'est un livre sacré puisque c'est le livre où Dieu se fait connaître.

Les hommes des temps anciens qui nous ont transmis ce message de Dieu aimaient raconter les choses d'une façon vivante et imagée. Ils nous présentent des histoires vraies mais ils utilisent aussi de vieilles légendes et de petits contes pour nous faire comprendre le message de Dieu. Nous ne savons pas toujours distinguer entre ce qui est une histoire vraie, un beau poème ou une légende. Tu apprendras plus tard à faire mieux la différence.

La Bible est aussi un grand livre de réflexion et de prière qui montre comment les hommes d'autrefois parlaient à Dieu.

Dans cet album, nous avons choisi parmi les nombreux textes de la Bible, un certain nombre d'histoires qui t'ont plu et t'ont aidé à découvrir comment Dieu est présent dans l'histoire des hommes et comment les hommes peuvent se comporter à son égard.

Pierre Dufour